GWE O GLYMAU SIDAN

D0490694

Gwe o Glymau Sidan

Jane Jones Owen

Cyfrol y Fedal Ryddiaith
Eisteddfod Genedlaethol Cymru
Sir Ddinbych a'r Cyffiniau 2013

Argraffiad cyntaf: 2013

ⓗ Jane Jones Owen/Gwasg Carreg Gwalch

Cyhoeddwyd ar ran Llys yr Eisteddfod Genedlaethol

Rhif rhyngwladol: 978-1-84527-464-1

Cyhoeddwyd gyda chymorth ariannol
Cyngor Llyfrau Cymru

Cynllun clawr: Sion Ilar

Cyhoeddwyd gan Wasg Carreg Gwalch,
12 Iard yr Orsaf, Llanrwst, Conwy, LL26 0EH.
Ffôn: 01492 642031 Ffacs: 01492 641502
e-bost: llyfrau@carreg-gwalch.com
lle ar y we: www.carreg-gwalch.com

Argraffwyd a chyhoeddwyd yng Nghymru.

Er bod y teitlau'n cyfeirio at lefydd go iawn,
dychmygol yw'r holl storïau.

Cynnwys

Aberdaron

Fel unrhyw ddyn, decini, bydd y bardd yn codi'n flin o'i wely'n y bore, yn piso, eillio'i wyneb a sythu rhesen ei wallt.

Y bardd yw'r enaid deallus, y casog du sy'n hoelio sylw, y corff sy'n taflu'i lais i'n cystwyo, y llaw sy'n cerfio'r cerddi a hynny, fel arfer, yn llawn ing a chyfyngder.

Weithie, jysd gwylio adar mae o.

Amlwch

Doedd Olwen wedi bwyta dim o'i chinio er ei fod wedi'i falu'n fân iddi. Yn wir, doedd hi wedi bwyta fawr ddim ers wythnosau.

'Wyddoch chi be, nyrs,' meddai. 'Mi ddaeth John, y gŵr, â choban nos maint deuddeg i mi ddoe ac mae'n ffitio'n berffaith! Sbïwch mor neis ydi hi! Dwi 'di bod yn seis sicstîn ers pan oeddwn i'n sicstîn!' chwarddodd ar ei jôc ei hun.

Wyddai'r nyrs ddim beth i'w ddweud. Os nad oedd yr arbenigwyr wedi dweud dim, yn sicr nid ei lle hi oedd hynny. Yn fan hyn, cadw'ch swydd a chadw at reolau'ch swydd, hynny sy'n bwysig.

Gwgodd Olwen ar y nyrs.

'Hen beth sarrug,' cwynodd wrth ei ffrind y pnawn hwnnw. 'Fel ti'n gwybod, dwi wedi treulio mywyd yn trio colli pwysa a rŵan mod i'n gallu gwisgo dillad sy ddau seis yn llai, dydi'r nyrs goblyn yma ddim hyd yn oed yn dweud da-iawn-chi, wrtha i.'

Bala

Ers tua deng mlynedd bu hi'n dilyn cynghorion cymhleth ac amrywiol ar sut i golli pwysau, sut i edrych yn smart a sut i ddenu dyn. Heddiw plygu roedd hi i astudio swm calorïau paced o fricyll sych o'i gymharu â bricyll ffresh oedd wedi'u gosod ymhlith dewis enfawr o ffrwythau egsotig ar silff isel yn y Co-op.

'Sut dech chi heddiw?' holodd llais baswr wrth ei chwt. Doedd dim amheuaeth pwy oedd berchen y llais melfedaidd.

Blydi hel, meddyliodd, mae *o* yma! Damia na faswn i wedi golchi ngwallt, gwisgo mêc-yp a rhoi dillad mwy secsi amdanaf!

'Huw!' meddai'n wrid a melys, fel brechdan jam coch. 'Sud wyt ti, wa? Neis dy weld di!' Celwydd noeth, annifyr: roedd o wedi'i dal hi â'i thin yn 'rawyr.

'Campus!' meddai yntau, a gwenu fel lleidr pen-ffordd gan ei fod, yng ngwres y foment, yn ei dychmygu mewn coban nos go gwta. Roedd yr hen foi wedi cael mart go broffidiol y bore Iau hwnnw. Roedd gwerthu llond pic-yp o ŵyn tew am ganpunt a hanner yr un wedi codi fel gwin ar stumog wag i'w ben.

'Sud wyt ti'r hen gotsen? Rwyt ti mor ddel ag erioed!'

Gwridodd hi'n annifyr, a'i gwrido hi'n ei gynhyrfu o yn fwy.

'O, rêl boi rŵan. Dim achos cwyno.'

'Cael digon, felly?'

'Y ... digon? O be?'

'Dim ond dau beth mae dyn ei ishio – digon yn ei fol a digon yn ei wely.'

Winciodd arni. Roedd o wedi parcio'i hun o'i blaen, ei goesau cadarn ar led a'i freichiau'n drionglau cydnerth yn gorffwys ar felt lledr am feingorff ystwyth.

Roedd yr awgrym yn gwawrio'n danbaid dros ei hwyneb. Sut gwtrin mae ateb cwestiwn fel hwnne, meddyliodd.

'Wel, ym ... sôn am fol a bwyd,' rhuthrodd am rywbeth i'w ateb. 'Dwi'n chwilio am fricyll.'

'Bricyll? Be gyth ydi'r rheini?'

'Epricots. Deiet epricots ydi'r ffasiwn rŵan. Epricots ydi'r prŵns newydd.'

Ffycinel, meddyliodd. Sut ddiawl mae dallt merched? Be gyth sy'n eu corddi nhw? Pam, o pam, na cha' i fywyd syml?

Bangor

Chwythodd awel fain i lawr fy mlows denau. Sythodd y mân flew ar fy mreichiau noeth ac roedd fy mronnau a'm tethi fel pigau wedi fferru. Bu arholiad cynnar, tair awr, yn Neuadd Prichard-Jones. Neidiodd darn o garreg i un o'm sandalau ysgafn. Sefais ar un goes i'w glirio a diawlio bod baw ci ar y gwadn.

Ar lwybr Bryn y Coleg roedd rhywun wedi cnoi afal ac wedi taflu bonyn swmpus ar lawr. Camais drosto. Roedd y gwynt wedi chwythu sbwriel bywyd i bob cyfeiriad. Ceisiais beidio sylwi gormod ar fanylion y sbwriel.

Teimlais bwysau'r llyfrau ar f'ysgwydd. Ychydig i lawr y llwybr roedd mainc bren. Anelais ati ond pan gyrhaeddais yno roedd gwm cnoi ac olion hen gyfog neu rywbeth gwaeth drosti.

Gwthiais waelod fy sgert i lawr rhag i'r gwynt ei chipio. Teimlais ei oerni ar fy nghluniau, oedd mor oer a gwythiennog â cholofnau marmor cadeirlan anghyffwrdd. Roeddwn yn difaru na wisgais drowsus cynnes.

Sefais yn grynedig ar fin pafin ger Ffordd Ffarrar i geisio croesi ond arafodd 'run modur i mi. Disgwyliais yn amyneddgar ac am yn hir.

O'r diwedd, daeth golau coch a saib yn y traffig ger yr orsaf, a medrais groesi'n ddiogel. Doeddwn ddim ymhell o nghartre rŵan.

Cyrhaeddais y drws ac ar ôl tyrchu tipyn ym mherfedd fy nghwdyn sach, ffeindiais y goriad cyn llithro i mewn i'r fflat myfyrwyr oedd yn oer, blêr ac unig.

Gwaeddais: 'Oes yne rywun adre?'

Ac eto, yn dawelach: 'Oes 'ne?'

Betws-y-coed

'Ym Marrakesh chewch chi ddim tynnu eu llunia nhw. Mae'r dynion ifanc yn gas ofnadwy hefo twristiaid, ac yn ôl tôn eu llais yn bygwth gwneud petha annymunol iawn i chi ac i'ch camera os na heglwch chi oddna'n syth bìn. Ond mi lwyddes i "ddwyn" rhai llunia o'r plant bach carpiog 'ma'n chwara yn y llwch er, drat, bu raid i ni eu gadal nhw, achos ro'n i ofn i'r llwch ddifetha fy lensys i. Wedyn, penderfynon ni dalu am arweinydd i fynd â ni allan i'r anialwch er mwyn i ni gael tynnu llun yr hen foi yma oedd yn gant a deg, medda fo, a dim ond un dant yn ei ben! Mi ges i lun gwych hefyd o'i ddau gamel drewllyd oedd tu allan i'w babell. Y wraig sy'n gwneud y gwaith i gyd: yn cario dŵr o'r pydew, yn casglu bwyd ac yn y blaen. Rydw i'n hoffi'r llun yma ohoni yn ei gwisg draddodiadol liwgar a'r tywod yn gefndir gwrthgyferbyniol gwych i'r cyfan.

'Mi saethes i'r gyfres nesa o lunia yn Nairobi. Mi sboties chwech o hogia bach troednoeth yn chwara cylch ar gornel un o strydoedd y ddinas. Dyma ŵr ungoes, anodd dyfalu ei oed, olion tipyn o sgarmes ar ei wynab, yn edrach ar ryw wraig ifanc, babi ar ei chefn, yn gwerthu swp o domatos goraeddfed ar y palmant budr. Roeddan nhw'n hapus i fi dynnu eu llunia os byddwn yn prynu rhywbath ganddyn nhw neu'n rhoi chydig geinioga i'r plantos.

'Dyma ni ym Mheriw rŵan. Dyma hen wraig yn gwisgo chwe haen o ddillad – hynny yw, popeth sy ganddi ar ei helw. Rydw i'n hoffi'r llun yma o blentyn bach budr, tua blwydd oed faswn i'n feddwl, yn cael ei gario ar gefn ei chwaer fawr, y ddau hefo gwalltia cwta, du fel brain, yn edrych arnom hefo llygaid brown, syn.

'A dyna'r llun ola – ohonon ni mewn awyren Boeing yn hedfan am adra – a golygfa berffaith glir o'r byd odanom.'

'Carwn ddiolch yn fawr iawn i chi, Meirionna, ar ran Cymdeithas Eglwys y Santes Fair, am roi noson ffantastig i ni o ddelwedda dadlennol. Oes unrhyw un am ofyn cwestiwn?'

'Mae'n amlwg bod gennych un o'r camerâu gora posibl.'

'Wel, yr un a ddefnyddies i'r tro yma oedd Canon 5D hefo lens teleffoto i weld y pell yn agos, a lens llygad pysgodyn sy'n plygu'r gorwelion fel y gallwch chi addasu'ch delwedd cyn i chi glicio.'

'Ydach chi wedi cael y chwiw deithio? I ble'r ewch chi nesa?' holodd hen wreigan na fu erioed dramor, wedi'i chyfareddu gan swyn enwau'r lleoedd pell 'ma a'i rhithio bod lluniau gwyliau'n dweud y gwir.

'Wel, ers inni ymddeol rydan ni wedi ymweld â chwe gwlad ar hugain. Ble nesa? Wel, nunlle arall 'leni, yn anffodus, achos rydan ni wedi gwario ein lwfans pres pocad i gyd! Mi faswn i'n licio mynd i weld Tibet, Nicaragua a Ghana, sy'n swnio'n llefydd lliwgar a dramatig dros ben i dynnu llunia. Ond mae'r gŵr am fynd i weld y Giwba hanesyddol, cyn i betha newid yno. Rydan ni'n cwffio ble i fynd gynta!' meddai'n gellweirus.

Gwenodd y gynulleidfa'n glên, wedi mwynhau noson o adloniant gwerth chweil, yn neuadd orfawr yr Eglwys. Wedyn, gyrru adre'n gefnog, gyfforddus, i gysgu'n braf.

Bethesda

Ysbrydion a welaf, ar goll yn eu gorffennol, yn siglo fel baneri rhwng mynd a dod.

Mae rhywbeth mwy elfennol a phruddaidd yma fel gofid hir-afael am ymadawiad un na chefais ei llwyr adnabod. Brynti dynion a'i trodd yn llechen lafar yn fy nghof – y diymgeledd yn raflio, cnul diystyr i'w begera a'i heinioes wedi'i drysu'n rhacs.

Dwi ddim yn caru nac yn casáu fy mro, ac nid oes dim yn olau yn llygaid Mam.

Brymbo

Fel blaenor Rehoboth, yng ngofod cefnsyth y sêt fawr y treuliodd ei awren hamdden, yn sŵn hoelion ar bren, fflangell ledr, torf wawdlyd.

Llafurio fu hi trwy'r bore yn sŵn cnocio bowlenni, platiau, sosbenni. Canai bwt o emyn o'i phlentyndod, bob ryw hyn a hyn, i godi'i chalon.

Trawodd cloc y gegin ddeuddeg, ac ar ben hynny, gofynnwyd bendith. Oglau cinio a phwdin, sawrus a melys, yn poethi'r gegin gyfyng. Ystyriwyd yr offrwm.

'Be s'arnat ti, ddynes? Mae'r moron 'ma'n rhy galed ac mae'r grefi'n ddiflas!' barnodd, yn hallt ei hwyl.

Sŵn cyllyll a ffyrc yn crafu'r platiau a'r plant yn fud, yn ofni'r wialen fedw dan y distyn. Bellach, a'i eiriau'n chwip, fyddai waeth ganddi ddim fwyta sbarion o'r domen.

Disgynnodd llen ei gwên o'i hwyneb. Treiglodd deigryn mawr, yn ddilestair, i geunant ei boch. Rhwygodd crachen annwyd yn agen hyll ar ei gwefus uchaf a'r gwaed yn ffrydio ohoni'n ddistaw, ddistaw.

Yfory, mewn gweithdy mawr poeth y bydd o, yn sŵn peiriannau'n powndio a'r dur tawdd yn poeri'n wynias i badellau heyrn.

A'r Saboth drosodd, bowlennaid o ddŵr claear ar y bwrdd, platiau a photiau wedi'u pentyrru'n daclus, hithau'n eu golchi a'u sychu, erbyn y swper nesa.

Bryncir

Ble mae hi, tybed?

Dwi'n stelcian ger giât gyfarwydd, yn syllu, syllu, i lawr lôn lonydd. Na, does dim golwg ohoni; dim arlliw. Arhosaf yma yn fy mraw. A ddaw hi fyth yn ôl?

'Stwyriaf ryw chydig, a syllu eto tua'r gorwel.

Mae'r lle 'ma'n sobor o dawel, ddim fel y bu. Un munud yn hapus, bodlon, rhadlon – dallt ein gilydd i'r dim, ond rŵan – hyn.

Meddylies am fwyta rhywbeth ond does gen i'm chwant, na syched. Pryder sy'n drech na mi, ac er ei bod hi'n twllu, alla i ddim rhoi fy mhen i lawr i gysgu, rhoi fy ngofal i ...

Dwi 'di nychu'n arw, a'r sglein 'di mynd. Cnoi cil ar atgofion; mieri'n fy nhagu.

Ymhen amser, fe'm hysir inna i drelar Ifor. I ffwrdd yr af, linc-di-lonc-i-lawr-y-lôn, tua'r mart, a'r ffald na ddaw neb yn fyw ohoni.

Bwcle

'Mae fy merch newydd symud i dŷ mwy, hefo tair o llofftydd, wst ti. Mae ganddi dri o rai bach rŵan. Argol, maen nhw'n bethe bach del! Dwi wedi mopio arnyn nhw, mopio'n llwyr, ac yn gallu'u gweld nhw bob dydd, os dwi ishio. Dim ond rhyw led stryd i ffwrdd maen nhw. Dwi'n cael eu gwarchod nhw'n aml hefyd pan fydd Sally'n mynd ar chydig o joli-hoit hefo'i chariad.'

Dyne ddwedodd Doreen wrth Mam. Roedd merch Doreen yn 'rysgol hefo fi ac, fel ei mam, ar y Wladwriaeth Les mae Sally'n byw.

Druan o fy mam i. Dwi'n dod adre bob nos, bron, ar fy ngliniau gan flinder heb brin amser i'w ffonio.

Mae gen i dwn-i'm-faint o achosion dyrys, a mwy o faich gwaith bob wythnos. Rhyw wyth awr o ddyletswydd oeddwn i'n ddisgwyl, ond does dim digon o oriau yn y dydd i wneud y swydd hon. Ar ben pob dim, heddiw fe dorrodd y car i lawr ac mi ges i ffrae gan ryw ddynes am fod yn hwyr i'w gweld – roedd hi ar frys i fynd i gyfarfod ffrindiau yn y Fantell Aur (Wetherspoons), yr Wyddgrug, am goffi (neu gwrw'n fwy tebyg, mwn).

Ond dwi adre rŵan. Gwyliau fyddai'n dda ond yn gyntaf rhaid i mi dalu fy rhent, costau byw, dyledion prynu a rhedeg car. A'm dyledion am bum mlynedd o goleg, wrth gwrs. O wel, mi gadwaf y llyfrynnau gwyliau at rywdro eto – rhaid agor fy ffeiliau gwaith heno.

'Rargol fawr! Mae yna goblyn o stŵr yn dod o'r fflat uwchben. Sŵn gwraig ifanc yn sgrechian rhywbeth, a lleisiau plant mân wedi'u styrbio. Llais dyn yn eu canol, llais meddw. Achos arall ar fy llyfrau fory?

A'm gwaredo!

Bwlch y Groes

Roedd y dydd wedi troi'n niwl mawr gwlyb wedi'i glymu dros y copa; smwclaw'n araf dreiglo dros Graig yr Ellyll, i'w boenydio.

Ymlwybrodd dafad i'r golwg. Brefodd fref undonog dafad. Plygodd ei phen i flasu tamaid go flasus o'r borfa. Cododd ei phen. Dafad bedwar dant yn cnoi'n hamddenol a'r tyfiant gwyrdd-ddu'n llenwi'r rhigolau rhwng ei dannedd gwynion. Syllodd arno. Dwy lygad dafad yn didaro ystyried ei fodolaeth ar ei llwybr.

I'w osgoi, trodd i'r aswy. Diflannodd y ddafad yn ddisymwth, hyd lwybr cyfarwydd iddi, ei bref gref fel pe bai'n ei watwar o'r niwl.

Pererin a dafad yn croesi'r un llwybr.

Un yn goroesi.

* *Roedd Bwlch y Groes ar lwybr y pererinion o Ynys Enlli i Dyddewi.*

Cefn Meiriadog

Yng nghefn y cwpwrdd gwydr roedd alarch plastig, ac ôl cnoi ar y pig melyn lle bu babi'n torri'i ddannedd.

Edrychodd Elin ar yr alarch gan feddwl, 'Na. Dydi hwn ddim yn blastig sy'n ailgylchu.' Felly'n ddiseremoni rhoddodd ffling iddo i'r gist olwyn ddu, at weddill y sbwriel a etifeddodd yn nhŷ ei nain.

Gwyliodd ei mam hi'n difrodi'r alarch, yn sathru'i sawdl arno nes bod yr alarch plastig tenau'n un swp bychan o dameidiau bach gwyn, brau.

Ond ddwedodd hi 'run gair. Sut allai merch ifanc, stiwdent trendi fel Elin, ddeall hyn? Anrheg Santa Clos y capel oedd yr alarch, a gyflwynwyd i faban ifanc iawn drigain mlynedd yn ôl. Roedd cael tegan yn beth mor amheuthun y dyddiau hynny fel y rhoddodd ei mam o ar silff uchaf cwpwrdd gwydr y parlwr ffrynt. Trysor.

Heddiw fe'i biniwyd o'n ddi-lol, heb i neb erioed gael chwarae ag o.

Gwastraff.

Cerrigydrudion

Ar fy mhen fy hun yr es i Sioe Cerrig 'leni, i geisio codi nghalon ar ôl colli fy mam. Roedd hi'n ffermwraig tan gamp, a phopeth y sbies i arno'r diwrnod hwnnw, trwy lygaid mam y gweles i nhw – y stoc a holl gynnyrch y babell arddangos. Beirniadu'r wye, y dofednod a'r jam cyrrens duon fyddai'i phleser, yn ei dydd.

Rown i ar fin ei throi hi am adre pan sylwes ar ddyn hefo casgliad o adar sglyfaethus, yng nghornel y cae. Roedd o, Islwyn o Fetws Gwerful Goch, ar fin ei throi hi am adre hefyd gan fod ei adar wedi blino cael eu handlo, ac ishio bwyd, medde fo.

'Ond fe gewch chi fod yr ola am heddiw.'

Sefes yn llawn braw yn ofni'r aderyn mawr sglyfaethus a bwysai'n drwm ar fy mraich chwith estynedig. Roedd pig a chrafangau'r dylluan yn ennyn parchedig ofn. Edryches ar ei llygaid anferth gan bryderu tybed faint yn union o ishio bwyd oedd arni.

'Peidiwch ag ofni dim byd,' medde Islwyn, 'fe ddowch chi i arfer. Cyffyrddwch â hi.'

Felly'n araf codes fy llaw dde yn betrus gan bryderu a oeddwn yn ddiogel, neu a fyddai rhyw haint neu ddolur yn gosb i mi am hyn?

Mentres beidio ag ofni, a dalies yr aderyn sy fel arfer yn anweladwy ac allan yn rhywle fancw, wyneb yn wyneb. Gan ddal fy anadl rhag ofn i mi wneud rhywbeth nad oedd hi'n ei hoffi, mentres gyffyrddiad ysgafn. Roedd hi mor gynnes, mor feddal, mor fach dan ei chostiwm: ei hesgyrn yn fregus, ei chroen yn denau a'i chalon fach yn curo'n ysgafn, ysgafn, dan fy mys.

Dal yr hyn a ofnir a mwytho'r pell, anghyffwrdd.

Teimlais i'r byw.

Corwen

Roedd y ddau frawd bach ar flaenau eu traed yn syllu i ffenest anferth siop y groser, eu dwylo rownd eu llygaid i gadw'r haul allan tra syllent ar y silffoedd diddorol a'r nwyddau i'w deisyfu. Cyffyrddodd eu genau â'r gwydr nes ei fod yn stemio.

'Peidiwch â mocha fy ffenest lân i!' dwrdiodd y groser. Dim ond troi eu llygaid i syllu arno am funud wnaeth y bechgyn, heb ddeall y geiriau ond gan ddeall tôn y llais.

Roedd potiau bach o Pond's Cold Cream ar y silff isaf.

'I bag tha' for me mammy,' meddai Michael yn ddwys, a'r hiraeth yn ddagrau yn ei lais.

'I bag tha' for me da',' meddai Seamus, gan sillafu llythrennau breision Player's Please hefo blaen ei fys. Roedd wedi gweld pacedi fel hyn ambell waith yn y cartref a phan gâi'r paced gwag i chwarae ag o, roedd yn mwynhau'r oglau melys oedd tu mewn a siffrwd y papur arian rhwng ei fys a'i fawd.

'Come here, boys,' gwaeddodd llais nid angharedig arnynt. Gafaelodd y ddau frawd bach yn nwylo'i gilydd a symud tua drws blaen enfawr y siop. Roedden nhw newydd gyrraedd ar y trên i orsaf Corwen tua thri o'r gloch, wedi cerdded i lawr y Stryd Fawr nes cyrraedd siop Davies Groser ger sgwâr y dref, ac roedden nhw ar lwgu.

Tu mewn roedd yr oglau bara ffresh yn syfrdanol. Safasant o flaen y cownter uchel, eu llygaid fel soseri a'u cegau'n dyfrio. Roedd rhes o dorthau enfawr yno, pob un hefo papur sidan fel gwasgod amdani, a'r stêm yn dal i godi o'r crwst euraid.

'O! yr hen blant bach, druan,' meddai Mrs Mari Davies yn deimladwy. 'Come with me, boys. I give you nice hot food now.' Ond yn gyntaf astudiodd y ddau lyfr dogni oedd am wddf y brodyr, yn drwyadl. Roedd eu chwaer wedi cael ei hanfon, ar ei phen ei hun, i gartref arall yn Llandrillo.

'Tynnwch eich cotiau, fechgyn,' meddai. Safodd y ddau yn stond heb ddeall.

'Cotiau. Coats,' meddai Mari, gan ddechrau agor botymau eu cotiau brethyn oedd braidd yn rhy fach i Seamus a braidd yn rhy laes i Michael.

'Capiau,' meddai gan bwyntio, a deallodd yr hogiau'r tro yma ac ufuddhau'n wylaidd.

(*Diwedd y rhyfel*)

Roedd sosban yn trochioni ar y tân. Ymhen amser llwyddodd Patrick i godi o'r gadair freichiau bren, cerdded gan lusgo'i goes chwith oedd wedi chwyddo'n goch a llidiog, a chyrraedd at y sosban.

Edrychodd i mewn iddi mewn siom a syndod. Roedd y lobsgows wedi berwi i lawr i'r hanner. Cymerodd lwy bren a chymysgu'r cawl, oedd bellach yn dew fel uwd.

'Dammit,' meddai dan ei wynt. Roedd y cawl wedi cipio ar waelod y sosban a'r cig da a roddodd ynddo wedi sychu'n grimp.

'Dammit,' meddai'n uwch a diamynedd. 'Sut ddiawl oedd Kathleen yn gallu gwneud lobsgows heb ei losgi?'

'Oh, bugger me arse!' gwylltiodd gan sugno'i fys o'r diferion chwilboeth a dasgodd o'r sosban. Roedd gormod o lo ar y tân i goginio arno ond er hynny prin bod y marwor coch yn tynnu'r ias oddi ar loriau cerrig y gegin, nac yn gysur o fath yn y byd yn Lerpwl, y gaeaf hwnnw.

Daeth y rhyfel i ben, ond roedd y dogni'n parhau. Ond sut mae byw ar ddogni a magu tri o blant heb wraig ddarbodus? Lladdwyd Kathleen pan chwalodd un o gyrchoedd bomio'r Almaenwyr ffatri ffrwydron Penbedw, lle gweithiai holl wragedd a mamau'r fro.

'Seamus, Michael, Róisín, dowch at y bwrdd. Cinio'n barod,' meddai'n biwis. 'Bytwch hwn, newch chi. Dydw i ddim ishio bwyd. A dwi'n mynd drws nesa am funud.'

Dechreuodd Róisín gnoi ei hewinedd i'r byw mewn pryder. Unwaith yr âi ei thad 'drws nesa' yno y byddai nes i rywun, Seamus neu Michael fel arfer, ei lusgo adre.

'Na, bytwch chi, nhad,' meddai'n bryderus. 'Rydych chi angen cryfhau,' ychwanegodd, gan lygadu ei goes chwith.

Dyn iach a aeth i'r rhyfel, gŵr a thad caredig, ond milwr clwyfedig ddaeth adre. Doedd hi ddim yn nabod y dyn diarth yma a alwai ei hun yn dad iddi. Cerddai o'i amgylch yn ofnus, yn amheus ohono. Ni ddywedai air, dim mwy nag oedd raid, i osgoi min ei dafod cwrs.

'And Seamus ... if I catch 'ee thiefin' me ciggies again ... throttle 'ee, I will.'

Cricieth

Roedd o'r math o bnawn-dydd-gŵyl amheuthun a wnâi i gwpwl ifanc mewn cariad lesmeirio-meddwl y byddai byw mewn hofel a'i do sinc yn llawn rhwd yn brofiad rhamantus.

'Mae lliw'r to ... fel rhedyn rhuddgoch yn yr hydref!' ebychodd wrtho.

Y math o ddiwrnod y byddai crwydro iard sgrap hen geir yn fater o chwilfrydedd a rhyfeddod.

'Petai'r rhain yn gallu siarad, mi fedrent ddatgelu cyfrinachau'r fro!' cellweiriodd yntau.

Crwydro blaendraeth Cricieth roedden nhw yng ngwres y pnawn, ger y clogwyn sydd wedi herio cnoadau gwanc-stormydd y cefnfor ers cyn co'. Roedd y llanw ar ei anterth ac er nad tywod cyfforddus oedd dan draed, roedd egni'r môr yn eu cymell i grwydro wysg eu tinau i gasglu broc, cregyn a gwymon.

'Dwi am addurno lamp neu fwrdd coffi hefo'r cregyn bach lliwgar 'ma!'

Roedd hi'r amser iawn o'r mis ac roedd hi'n clochdar fel iâr newydd ddodwy. Roedd hormonau'r dyfodol, heddiw, yn siarad Cymraeg.

Cwm Bychan

Wylais pan ddychwelais i Gwm Bychan.

Yma y'm magwyd i ar dyddyn, ac yn ddidaro â llygaid plentyn yr unig beth a welwn bryd hynny oedd ... ie ... cwm bychan, llwm.

Syrffedais ar edrych ar yr wynebau creithiog, yr asennau creigiog sy'n gylch am ferddwr o lyn nad oedd ond crethyll ynddo. Diflasais ar sŵn diddiwedd gwyntoedd o'r coediach disylwedd sydd wedi'u hau eu hunain.

Plygais fy mhen dros waith cartref ac yn nhrefn pethau cefais fy hun ymysg llyfrau pobl farw, yn astudio'r oes a fu, yn y Coleg ger y Lli.

Mi fentrais wedyn i weld y byd gan roddi heibio'm genedigaeth fraint. A be welais i? Cymysgfa o bobl yn corddi mewn trobyllau diderfyn, diddianc. Syrthiais innau i'r trobwll ac yno y bûm i, fel pe bawn mewn buddai, yn troi a throsi ar fy ngholyn i ddim diben ond i glapio ychydig fenyn i feddalu crystyn, nes i mi heneiddio digon i ddianc o seler y corddwr.

Yna, dychwelais i Gwm Bychan, cwm hirfys a gerfiwyd mor gelfydd â chyllell hirfain Artro. Es am dro at fin y llyn, a beth a welais? Gŵydd o Ganada a'i chymar yn clegar fagu teulu; blodyn llaeth, blodyn ymenyn a chlofer yn llenwi'r weirglodd.

Mor falch oeddwn o glywed deunod tymhorol y gwcw, y gloch sy'n agor drws cefn Bwlch Tyddiau i'r haf. Syllais ar y mamogiaid cnufiog a'u hŵyn cryfion yn hamddenol bori hyd lwybrau eu cynefin; bustych du Cymreig yn sgleinio fel sylltau, yn grwn fel afalau Awst, hyd at eu bogail mewn migwyn. Gwrteithiwyd, bellach, erwau crintach yr ychydig geirch yn gnydau boliog mewn bagiau duon ac mae peiriannau sgleiniog yn y siediau mawr.

Roedd y Graig Ddrwg a Charreg y Saeth yno'n torsythu,

cyfoeth eu cenlli'n bŵer dihysbydd a'r tonnau crychog yn hafan i frithyll lliw'r enfys.

Nid y ferch afradlon mohonof, na Bardd yr Haf a'i hiraeth doeth, ond un a wylodd pan welodd Gwm Bychan.

Cwm Pennantlliw

'Dim diben gwastraffu brethyn cartre da fel hwn,' meddyliodd Gronw'r Crydd yn gyfrwys. 'Yn sicr fydd *hi* ddim angen unrhyw gôt heno!'

Edrychodd yn llechwraidd dros ei ysgwydd i wneud yn siŵr nad oedd neb yn gwylio'i weithred cyn bwndelu'r siaced frethyn o dan ei gesel ac ochrgamu'n llechwraidd i'r cysgodion. Pan gyrhaeddodd ei weithdy taflodd y siaced i'w chuddio dan y fainc.

Roedd wedi llygadu'r deunydd ac ar amrantiad, yn ei ddychymyg, gwelodd bâr o sgidie arloesol – gwadne o fasarn gwyn, gorchudd o ddeunydd dros y droed yn cael ei ddal yn ei le gan hoelion pengrwn, sgleiniog, tafod o groen meddal a chriau coch i'w clymu groes-ynghroes wrth y ffêr. Byddai galw mawr am y rhain ym mhum plwy Penllyn. Ha! Byddai'n gwneud ei ffortiwn yn ffair Glanmai a ffair Glangaea!

Erbyn iddo frasgamu'n egnïol 'nôl at y dorf roedd tuag ugen o ddynion ifanc lleol wedi ymgasglu tu allan i dafarn yr Eagles ger wal gerrig gron Eglwys Sant Deiniol. Doedd Gronw ddim am golli dim o gynnwrf y noson gan y byddai'n brif bwnc pob sgwrs yn ei weithdy am wythnose, os nad misoedd, i ddod. Doedd dim byd fel hyn wedi digwydd ym mhlwyf Llanuwchllyn erioed o'r blaen.

'Dyw, Gron, dyne lle rwyt ti!' cyfarchodd Al bach y Saer o, gan geisio rhoi braich feddw am ei sgwydde.

'Lle ddiawl ti 'di bod, wa? 'Den ni i gyd wedi bod yn yr Eagles am folied a'r Sgweier oedd yn talu! Wir, a chredi di mo hyn, mi dalodd o am dair llond casgen o gwrw barlys melys. Diawl o stwff da oedd o hefyd. Cer i mewn, wa, cyn iddo fo i gyd orffen! Does dim llawer ar ôl erbyn hyn, mwn.'

Oedodd Gron gan y gallai weld dwsine o ddynion yn heidio allan trwy ddrws cefn yr Eagles fel gwenyn meirch o'u nyth, eu lleisie'n suo a slyrio. Sylwodd Gron ar y coese simsan a'r breichie'n cwhwfan yn gynhyrfus. Roedd eu bwriad bradwrus yn amlwg ar eu hwynebe cochion, geirwon. Roedd y werin anwaraidd wedi'i thanio â chwrw ac yn barod am y weithred.

Camodd Gron o'r neilltu, i gysgod wal y dafarn. Doedd ganddo ddim bwriad mynd yn rhy agos at y goelcerth achos, tra oedd o'n aros i gael gwadne newydd ar ddeg par o glocsie, roedd dyn a ddaeth dros y Bwlch hefo'r porthmyn wedi rhoi disgrifiad iddo, hefo llawer o fanylder di-chwaeth, o'r hyn ddigwyddodd ym Mhowys Fadog y flwyddyn cynt.

'Ti'n gweld, roedd rhyw gòg 'di sefyll yn rhy glòs i'r tên, ac mi gafodd 'i 'chuddio o'i gorun i'w sowdl mewn saim hwch. Ti'n gweld, roedd gen y dienyddiwr botied o'r saim drewllyd 'ma. Wedi bwriadu taflu'r holl beth dros y wrech oedd o, a chloben o lodes blaen fel talcen tŷ oedd hi, ond mi fethodd, ac mi laniodd 'i hanner o dros y còg gwirion 'ma o'dd yn sefyll yn tu blaen, a'i wlychu o'n drwyth. Wel, mi fedri di ddychmygu be ddigwyddodd nesa, yn gelli?

'Pan chwifiodd yr ail ddienyddiwr ei fraich hefo torch o fflame hirgoch, fel tafode ych wedi'u crogi, mi losgodd y saim nid yn unig y wrech, ond y còg gwirion 'ma 'fyd! Aaaaa!

'Roedd y sgrechen yn hollti'r awyr! Mi fedra i eu clywed nhw yn 'y nghlustie rŵan! Y ddeuddyn – y wrech wedi'i chlymu wrth bolyn yng nghanol y tên a'r ffŵl gwirion wrth ei godre'n sgrechen ac yn rhedeg mewn cylche, fel ffowlyn wedi colli'i ben. Ac roedd 'ne ddynion erill yn sgrechen 'fyd. Brodyr y dyn, i gyd yn sgrechen hefo'i gilydd fel milwyr y gad. Roedd y rhai gosa at y còg yn ceisio'i arbed ond roedden nhw'n llosgi'u hunen yn rhost. Wedyn mi neidion nhw'n wyllt dros y shetin, rhedeg am 'rafon, yn sgrechen nerth esgyrn eu pen. Ond doedd dim byd ar ôl ohono fo ymhen chydig, dim ond hoelion ei sgidie!'

Roedd Gron wedi'i syfrdanu gan y stori yma a heno roedd o'n llygid ac yn glustie i gyd. Efalle y bydde'r cwsmer hwnnw'n dychwelyd yn y gwanwyn i gael trwsio mwy o glocsie ac roedd Gron yn gobeithio gwneud argraff arno a rhoi disgrifiad hyd yn oed yn well o hanes llosgi'r wrach yma heno.

Hynny yw, os bydde'r dyn yn dychwelyd, wrth gwrs. Roedd swyngyfaredd yn sgubo'r wlad i gyd, fel tân eithin. Canlyniad hynny oedd bod salwch yn rhemp a'r bedde'n gorlenwi. Yr unig rai oedd heb eu heffeithio oedd teulu'r wrach yma. Pam bod pobl erill yn marw ond neb o'i theulu hi?

'Coelcerth dda sydd ei hangen,' meddyliodd Gron wrth sefyll â'i freichie ymhleth gan bwyso ar wal gron eglwys y llan. Ond wrth iddo sefyll yno'n sobr, ymhlith carfan o dlodion carpiog, meddw dwll, yn pwyntio blaenfys ac yn ubain 'Llosgwch y wrach hyll! Llosgwch hi!' am eiliad eirias cyfarfu ei lygaid â llygaid llawn dychryn y wraig ifanc oedd yn crefu ac yn ymbilio'n eneidfawr am gael ei rhyddhau a'i hachub.

Rhedodd ias o waed oer i lawr ei gefn. Pwy oedd hi? Ble roedd o wedi'i gweld hi o'r blaen?

Edrychodd yn wyllt o'i gwmpas. Pawb yn feddw. A feiddiai ei hachub? A fedrai ei hachub? Symudodd gam neu ddau yn nes ati ond roedd y gwres yn llethol a'r saim a daflwyd drosti'n mygu'n ddu nes llosgi'i lygid. Na, doedd o ddim am fynd i afel y fflame i achub neb. Feiddiai o ddim. Fedrai o ddim.

Ciliodd ar ei bedwar at wal yr eglwys, ei ben yn troelli, a theimlodd wasgfa'n dod drosto. Arhosodd fel hynny am funude lawer nes bod ei ben a'i stumog wedi peidio corddi. Ymhen chydig, pan drodd ei ben i edrych, roedd y llosgi drosodd. Dim ond ei mwg drewsur oedd yn weddill o'r ferch ifanc. Gan na allent stumogi hynny, ciliodd yr hogie chwil ulw gaib fu ychydig ynghynt fel cŵn gwyllt yn llardio ac yn darnio defed, yn ddistaw i'w gwâl.

Yn benisel iawn dychwelodd Gron i'w weithdy gwag. Eisteddodd ger y pentan oer gan synfyfyrio dros y marwor. Roedd yn methu credu'r hyn a welsai. Oedd o, o ddifri, wedi gweld ei gyd-blwyfolion yn llosgi merch ifanc oherwydd y dybiaeth ei bod hi'n wrach? Os felly, beth nesa?

Gwaeth na hynny, yr hyn oedd yn ei gorddi waetha oedd pwy oedd hi? Ble roedd o wedi'i gweld hi o'r blaen?

Cofiodd am y siaced ac aeth i'w nôl hi o dan ei fainc. Roedd hi o ddefnydd da, trwchus. Roedd gwerth arian o wlân wedi mynd i nyddu hon. Doedd o ddim yn ddilledyn newydd. O bosibl mai siaced ei mam neu ei nain oedd hi. Mae deunydd da yn para. Archwiliodd hi'n fanwl.

'Y botyme yma,' synfyfyriodd. 'Dwi wedi gweld y rhein yn rhywle hefyd.' Botyme o flaen corn carw oedden nhw.

Gwawriodd yr ateb arno. Dim ond pobl gyfoethog fydde'n cael hela ceirw, pobl fel y Sgweier a'i griw. Ac fe gofiodd ble y gwelsai ddillad hefo botyme corn carw arnyn nhw.

Fe ddaethai clerc Stad Glan-llyn i'w weithdy glan gaeaf y llynedd hefo archeb am dri dwsin o glocsie newydd ar gyfer rhai o weision a morynion gweini'r Plas. Roedd y Sgweier am gynnal gwledd i ryw fowrion o Lunden ac roedd am bersawru a thacluso'i weision a'i forynion gweini cyn dyfodiad ei westeion. Roedd stoc o ddillad gweini newydd a smart wedi'u harchebu erbyn dyfodiad y gwesteion aruchel gyfoethog hyn o Lunden.

Roedd Gron yn cofio'r hanes yn iawn. Bu raid i'r morynion a'r gweision lwcus ddod heibio'i weithdy ger pont afon Lliw ar eu ffordd adre iddo allu mesur eu traed cyn ffurfio gwadne i'w clocsie. Doedd llunio tri dwsin o glocsie newydd ddim yn ormod o dreth ar ei amser na'i allu. Ac roedd o wirioneddol wedi mwynhau cwmni'r gweision peniog a'r morynion tlysion, ifanc a ddaeth ato i'w mesur.

Mater arall oedd hi i droellwyr a gwehyddion y plwyf. Roedden nhw mewn penbleth ac wedi cynhyrfu'n ddirfawr o gael gorchymyn am dri dwsin o wisgoedd a lifrai newydd. Byddai raid cael gafel ar y gwlân meddala, ei lifo'n unffurf wyrdd hefo cen cerrig, ei olchi drwodd a thro yn y pandy cyn ei gribo, ei droelli a'i nyddu gan unrhyw un fydde'n gallu gwehyddu'n gelfydd berffeth. A fydden nhw'n gallu gwneud hyn i gyd o fewn llai na deufis? Doedd dim dewis. Os na fydde'r gwisgoedd yn barod, a hynny'n berffeth barod, wrth gwrs, fe wyddent eu tynged. Roedd tyddynwyr wedi'u hel o'u daliad am lai, am ddigio'r Sgweier mewn rhyw fodd neu'i gilydd.

Doedd fawr o hwyl ar neb yn ystod y deufis hynny. Dim ond un peth oedd ar feddwl pawb, sef cyflawni'r gorchymyn. Byddai raid i bob gwas neu forwyn fynd i'w mesur yn eu tro. Roedd angen sgert laes a blowsen o wlanen dene ar bob morwyn, a ffedoge a chapie cotwm gwynion wrth gwrs. Doedd dim anhawster mawr cael dillad isa newydd gan y gellid dod o hyd i eiteme o'r fath yng nghistie cadw gwragedd darbodus y tyddynnod fyddai wedi paratoi dillad isa newydd at neithior eu merch hyna.

Cael y mesuriade cywir i'r gweision fydde'r benbleth fwya achos byddent weithie'n teneuo a'u trywsuse'n llithro i lawr eu clunie ac yn sarnu dan eu sodle. Byddai'r Sgweier yn sobor o ddirmygus o hynny.

Ar ei arffed roedd un o wisgoedd morynion y Sgweier a'r botyme corn carw'n cadarnhau hynny. Gwawriodd ar ei feddwl mai un o forynion y Sgweier oedd y wrach, neu ferch i un o'i gyn-forynion o bosibl, os oedd hi'n gwisgo hen siaced ei mam.

Ond pam roedd hi'n cael ei llosgi? Daeth darlun clir o'r achlysur i feddwl Gron, o'r salwch a'r afiechyd oedd wedi lledu trwy'r ardal; roedd y merched tlysion i gyd wedi dal rhyw haint ar ôl gweini ar y byddigions o Lunden. Roedd y Sgweier yn gacwn bod pla wedi effeithio arno fo, ei deulu a'i westeion. Roedd ei daeogion hefyd wedi'u crymanu gan y pla, er nad oedd neb o'r Plas wedi marw. Roedden nhw wedi molchi mewn gwinoedd ac wedi golchi'u dillad mewn cwrw, yn ôl y sôn. Doedd darparu tair casgen o gwrw am ddim i annog meddwyn i wneud anfadwaith yn fawr o gost i'r Sgweier.

Dychwelodd erchylltra'r noson yn swp i wasgu ar stumog Gron. Gwelsai'r tân, y saim, y llosgi a'r drewdod a chododd ei law at ei geg i'w atal rhag chwydu wrth gofio. Pwy oedd hi? Ble roedd o wedi'i gweld hi o'r blaen? Yna fe gofiodd. Doedd ganddo ddim amheuaeth. Daethai heibio i'w weithdy i fesur ei thraed. Mared oedd hi, chwaer ienga Hywel Craig y Tân, un o'i gyfoedion. Doedd hi ddim yn un o'r tlysaf yn y plwy' – roedd ganddi gilddannedd dwbl, trwyn crwca a maen geni piws dros ei gwddf.

Cododd y siaced, ei rhoi ar ei lin a'i gwasgu'n belen yn ei arffed. Llyfnodd ei law dros y brethyn meddal fel pe bai'n anwesu boch. Cyrliodd ei fys o gylch y botwm corn carw fel pe bai'n byseddu cyrlen gron o wallt browngoch. Rhedodd bysedd ei law dde hyd fraich y siaced fel pe bai ei pherchennog yn dal ynddi. Synfyfyriodd dros ddirgelwch bywyd dynol. Pam bod raid i'r bwystfil garw fwrw'r eiddil gwan i lawr? Pam bod raid i'r diniwed ddioddef? Pam bod raid i ferch fach o forwyn llofft fynd i'w llosgi yn dilyn ymweliad gwesteion aruchel o Lunden? Pam bod raid i'r diymgeledd dderbyn dialedd y grymus?

Ar amrantiad, wrth feddwl am y grymus, sylweddolodd Gron rywbeth arall. Pam roedd y siaced yn ei weithdy y noson honno? Doedd dim dirgelwch am hynny. Fo oedd wedi'i dwyn. Fferrodd ei waed. Eiddo'r Sgweier oedd y ferch, fel ei siaced, ac roedd y siaced honno yn ei feddiant o yr eiliad honno.

33

'Beth ddaeth dros dy ben di'r ffŵl i ganlyn gwallgofiaid – dwyn pan dybiet nad oedd neb yn sbio?' dwrdiodd ei hun. 'Cei dy hel o dan y cloc, i'r Bala, wedyn ar dy ben i garchar Dolgelle, lle na cherddodd neb ohono, dim ond eu cartio allan, yn llai o hanner eu pwyse.'

A'r teulu? Mewn fflach gwelodd y gosb – eu taflu o'u cartre, fo o'i weithdy, i wyrcws Corwen; pawb yn slafio ar ddŵr potes i ddim ond cynnal cyfoeth yr Eglwys a'i Sgweier diawl.

Felly, i achub ei groen a heb oedi eiliad yn hwy, pennodd dynged ddiadfer i siaced frethyn y forwyn llofft.

Dinas Dinlle

Rhedodd i'r traeth, agor ei breichiau a chofleidio'r haul. Roedd hi wedi dianc o'r swyddfa fwll, ddiawyr.

'Diwrnod o wyliau haeddiannol,' meddyliodd yn foddhaus, 'o awyr iach a rhyddid i'w fwynhau! Haul o'r diwedd! Hwrê! Dyma 'di byw!'

Gorweddodd ar ei hyd ar y tywod ym mharadwys penrhyn Llŷn.

Ond fel neidr gynnes, drom, lapiodd yr haul ei hun amdani, gwasgodd hi'n ara' deg, nes bod y corff yn llipa lonydd.

A'i gwenwyno.

Dinbych

'Mae gen i ofn mod i'n hwyr,' meddai Kate. 'Roedd rhyw hen lafna drwg yn reidio'u beicia tu allan i nhŷ, er gwaetha'r ffaith mod i wedi'u dwrdio'n go hallt, sawl tro bellach. Cadw twrw'n dragwyddol maen nhw a dychryn fy nghi bach i. Dwn i'm be sy ar lafna ifanc yr oes hon.'

Ugain munud wedi saith. Edrychodd Meg ar y cloc ac ar y criw o ferched oedd yn eistedd o gwmpas bwrdd hirgrwn, rhai'n edrych yn flin, rhai'n ddiamynedd. Roedd y lle'n cau am wyth.

'Diolch yn fawr iawn i chi am gytuno i ddod atom ni heno, achos rydyn ni am drafod llyfr newydd Alan Llwyd ar eich bywyd chi, Dr Kate. Croeso cynnes i chi i'r cylch. 'Steddwch fanne,' meddai Meg gan bwyntio'i bys at gadair yn ymyl Jane.

'Dwi wedi darllen y llyfr yn awchus,' meddai Jane, 'ac ew, mae o'n llyfr athrylithgar. Mae Alan yn glamp o sgolor ac mae'r llyfr yn dangos ôl ymchwil a llafur ysgolhaig o fri. Trysor o lyfr.'

'Ie, trysor o lyfr,' meddai Sali Mali.

'Ydi, mae o'n drysor,' meddai Cadi Wyn, a eisteddai'n agos ati.

'Mae o wedi casglu'r manylion i gyd,' meddai Jane, 'a dwi'n gwerthfawrogi'r trylwyredd. Do'n i ddim wedi sylwi, er mod i wedi bod yn 'studio eich gwaith chi, Dr Kate, ers dyddia ysgol, ar rai petha diddorol iawn a nodir yma gan Alan.'

'Cyfeirio at y gusan yna wyt ti?' holodd Bethan mor ddisymwth â chlec o wn. Syfrdanwyd pawb nes bu bron iddynt neidio o'u seddi.

Roedd golwg nerfus ar bawb, pawb ond Meg. 'Hy!' meddai'n ddilornus. 'Rhwbath am sylw, yndê?'

'Be ti'n feddwl?' holodd Jane gan feddwl ei bod yn cyfeirio at y cwestiwn syfrdanol.

'Wel, os tishio gwerthu stwff trwm, academaidd, rhaid i ti gael "sexed-up document",' meddai Meg, sy'n darllen amrywiol gyfrolau Saesneg.

'Rwyt ti'n gneud i'r peth swnio fel rhyfel Irac,' meddai Eigra, yn adlais o golofnau trymion bapurau'r Sul.

'Fedra i ddeall dim ar rediad eich trafodaeth chi, ferched,' dwrdiodd Kate. 'Eglurwch, neno'r tad!'

'Na. Dwi'm yn dallt chwaith,' meddai Sali Mali.

'Na finne. Dwi'm yn dallt chwaith,' meddai Cadi Wyn gan ysgwyd ei phen ac edrych yn gariadus ar Sali Mali.

'Wel, i gael sylw'r Wasg ac i werthu llyfr adeg ei gyhoeddi, mae'n beth da tynnu sylw at rywbeth o natur rywiol,' meddai Meg mewn llais awdurdodol, yn awyddus i draddodi'i barn ar y mater.

'Wel, dwi fy hun yn gwneud dim o'r sylw bach yna at gusan gan wraig i gigydd mewn llythyr hollol breifat a phersonol at ei gŵr,' meddai Jane. 'Cofiwch mai sylw personol oedd o mewn dogfen gyfrinachol. Ac mae yna fwy na geiria yn dod i mewn i'r gyfathrach sy rhwng gŵr a gwraig. "Rhy fawr yw ef i eiriau", chwedl y bardd.'

'Dyw! Oes 'ne?' meddai Bethan, a gwên ddireidus ar ei hwyneb, yn stilio i geisio'u bachu.

'Neno'r tad, duwadd annw'l,' ebychodd Eigra'n ffrom. 'Rydan ni yng ngŵydd Brenhines ein Llên, cofiwch. Mae Dr Kate wedi bod yn ddylanwad mawr ar fy ngwaith i,' meddai gan foesymgrymu dros y bwrdd i'w chyfeiriad. 'Difrïo ein Brenhines ydi gwastraffu ein hamser yma heno yn trafod rhyw sylw dibwys pan mae holl waith llenyddol aruthrol yr Awdures Fawr yma o'n blaena ni.' Roedd yr olwg ar wyneb Eigra fel pe bai wedi hen syrffedu arnoch ac ar frys i fynd adre at ei gŵr, i gwyno amdanoch.

Tremiodd Kate ar y sebonwraig trwy ei sbectol fetal, a daeth i'r cof iddi sôn mewn stori unwaith am wraig nad oedd ganddi fawr iawn o ffordd o'i chesail i'w gwasg, os oedd ganddi wasg.

'Clywch, clywch,' meddai Jane. 'Does yna ddim rhyw yn eich gwaith chi, yn nac oes, Dr Kate. Dim rhyw o unrhyw fath!' meddai'n ffyrnig. Mewn fflach roedd wedi rhag-weld ei hun yn derbyn grant i lunio nofel hefo llawer mwy na hanner can haen o lwyd ynddi, wedyn grantiau cyfieithu ychwanegol i roi'r Cymry mabolgampaidd ar fappa mundi'r we fyd-eang.

'Os ydach chi ishio dallt gwaith ein Brenhines,' meddai'n awdurdodol, gan wenu'n gyfriniol ar yr awdures, 'darllenwch waith Katherine Mansfield. Ydach chi'n gyfarwydd â'i gwaith hi?' holodd yn rhethregol megis darlithydd, gan edrych am fynegiant ar wynebau'r rhai oedd o gylch y bwrdd.

Nodiodd pawb yn ddoeth, pawb ond Sali Mali.

'Nacdw,' meddai hi'n eirwir.

'Nacdw,' meddai Cadi Wyn gan edrych i wyneb Sali Mali'n gyntaf ac yna ysgwyd ei phen.

'Asiffeta! Mae ishio gras!' meddai Meg gan ymsythu fel petai am ddechrau ffeit y funud honno.

Roedd Meg yn swnio'n gas ond gan fod Sali Mali a Chadi Wyn yn byw yn eu byd bach eu hunain ddaru nhw sylwi dim. Dim ond gwenu ddaru Bethan, a hynny o glust i glust. 'Ffeit,' meddyliodd. 'Mi ga' i sgwennu colofn am hyn pan a' i adre. Wei-hei!' Ond cael ei siomi ddaru hi achos mi ddechreuodd Jane draethu.

'Roedd Katherine Mansfield yn cyfoesi â chi, yn doedd, Dr Kate, ac rwy'n siŵr eich bod wedi darllen ei storïa i gyd, a'u deall. Roedd gennych chi lawar yn gyffredin hyd y gwela i,' meddai, gan ddechrau mynd i hwyl.

'Oedd y ddynes honno'n dod o Rosgadfan?' holodd Sali Mali, oedd wir ishio gwybod gan ei bod hi'n dipyn o hanesydd lleol.

'Asiffeta! Mae ishio gras!' meddai Meg eto, a'r tro yma roedd ei dwylo hi'n ddyrnau ar y bwrdd.

Methodd Bethan ag atal ei hun rhag dechrau pwffian chwerthin, ac unwaith mae hi wedi dechrau, mae'n rhemp.

'O 'rargol fawr,' meddyliodd Jane, 'dydi hon ddim am ddechra arni eto 'rioed!' Gwgodd yn styrn i gyfeiriad Bethan. Ond dal llygad Sali Mali a Chadi Wyn ddaru hi. Roedd ganddyn nhw aflwydd o ofn gofyn cwestiwn unrhyw adeg. Llwyddodd hyn i lwyr dorri eu crib; sbio'n ddeallus a thrio nodio yn y lle cywir fyddai orau bellach.

'Na, na. Gadewch i mi roi crynodeb byr i chi,' meddai Jane fel tase hi newydd, y diwrnod hwnnw, gyhoeddi clamp o lyfr am yr awdures. Efallai ei bod hi wir, 'rôl treulio blynyddoedd yn y tŵr ifori.

Tremiodd Kate ar y traethydd a gweld ymgorfforiad o ddylunwaith Cefyn Burgess yn ymffurfio o'i blaen. Llygad-dynnwyd Kate gan y brethyn moethus a chain, a bu ond y dim iddi godi godre gwisg Jane i'w fodio.

'Un o Seland Newydd oedd Katherine,' meddai Jane, gan symud ei chadair ryw chydig. 'Ganwyd hi dair blynedd cyn Brenhines ein Llên, ac mi sgwennodd hi gyfrola lawer o storïa byrion.'

'A!' meddai Sali Mali, gan weld y gymhariaeth.

'A!' meddai Cadi Wyn, heb weld y gymhariaeth, ond dim ots.

'Asiffeta!' meddai Meg eto dan ei gwynt. Edrych fel bwbach arnynt wnaeth Jane – ydi'r rhain wedi llyncu'u geirfa, 'ta beth? Roedd sylw Kate yn dal wedi'i hoelio, ond llygadodd Eigra'r ddwy gan weld deunydd addawol. Tynnodd lyfryn o'i sach law a phensilio manylyn neu ddau yn reit slei at eto: 'yn hyll, yn dew ac yn da i ddim ... fel dau lo cors'.

Rhagwelodd Meg y stori nesa, a chofiodd amdani ei hun yn sgwennu sgrwtsh. Sgwennu dim ond er mwyn cael llinellau, geiriau, unrhyw beth ac wedyn yn sgrwtsio'r sgrifen, a'r ddalen yn disgyn o'r dwrn.

Ysgydwodd Jane ei phen ac ailddechrau. 'Mi briododd ddyn nad oedd yn ei garu oherwydd ei bod yn cario plentyn cyn-gariad iddi, ond bu farw'r plentyn adeg ei eni. Gadawodd Katherine ei gŵr, oedd dros ddeg mlynedd yn hŷn na hi, a mynd i fyw at ddyn iau gyda'r bwriad o'i briodi pan ddeuai'r ysgariad trwodd. Yn y cyfamser, fe dorrodd y Rhyfel Byd Cyntaf, ac fe laddwyd ei brawd.'

'A!' meddai pawb hefo'i gilydd y tro yma, fel côr llefaru sy'n galar sôn am dranc yr iaith.

'Hefyd, tua'r adeg yma fe aeth y wasg oedd yn cyhoeddi llyfrau Katherine i'r gwellt gan adael dyled enfawr. Roedd Katherine yn dioddef o ddigalondid ac o densiynau rhywiol ac, yn goron ar y cyfan, fe gafodd afiechyd difrifol. Roedd hi'n teimlo'i bod wedi'i dal mewn cawell.

'Ac mi roedd hi,' meddai Jane, gan edrych yn fygythiol, rhag ofn i neb ddweud 'A!' eto. 'Pan briododd hi'r ail ŵr o'r diwedd, roedd hi'n rhy hwyr iddi gael y cartref a'r plant a ddymunai. Bu farw'n alltud o'r wlad na pheidiodd unwaith hiraethu amdani, yn bedair ar ddeg ar hugain oed.'

Roedd pawb yn gegrwth fud y tro yma. Mae'n cymryd dipyn o amser i wneud y syms a sylweddoli bod un wedi marw'n dri deg pedwar a'r llall yn dal yn fyw ac iach, ac yma o hyd.

Roedd hi'n go anodd ailddechrau'r drafodaeth ar ôl y crynodeb athrylithgar a draddodwyd. Ond mi allwch chi ddibynnu ar Bethan i badlo unrhyw ganŵ i'r dwfn.

Dyma hi'n troi at Meg, oedd yn eistedd nesa ati, a gofyn: 'W't ti'n cytuno â barn Yr Athro bod ein gwestai heno yn hoyw, Meg?'

'Nacdw siŵr,' meddai Meg. 'Mae chwilio am arwyddion bod Dr Kate yn hoyw fel chwilio am lyngyren ym mhen-ôl plentyn bach!'

Trodd pawb fel pe baent mewn cân actol, wedi'u syfrdanu gan y cyfuniad o ddatganiad ysgubol a hyder awdurdodol.

'Mae'n siŵr eich bod chi wedi mwynhau llyfr Alan Llwyd?' holodd Eigra'n frysiog gan droi at Kate i osgoi edrych ar Meg a'i sôn am lyngyr a phenolau.

'Wel, yn anffodus, dwi ddim wedi'i ddarllen o eto,' meddai Kate. 'Anodd cael amsar i bob dim. Rydw i wedi bod yn crwydro Llandudno'n ddiweddar yn chwilio am ddol. Nid unrhyw hen ddol, cofiwch, ond un hen-ffel y gallwn ei gwisgo yn fy steil fy hun. Ond fedrwch chi, ysywaeth, ddim ffeindio 'run ddol â chymeriad bellach, mwy nag y medrwch chi ffeindio pobl â chymeriad.'

Edrychodd Kate i gyfeiriad Eigra. Cuchiodd Eigra gan feddwl a oedd hyn, o bosibl, yn feirniadaeth ar ei storïau diweddaraf?

'Ond dwedwch i mi,' meddai Kate, 'be ydi'r gair hoyw yma dwi'n ei glywad y dyddia hyn? Rhywbath tebyg i loyw, ia? Ydw, mi faswn i'n cytuno bod fy ngwaith, ar ei orau, yn loyw iawn.'

'Asiffeta!' meddyliodd Meg. 'Rŵan rydan ni mewn twll. Sut aflwydd mae dod allan o hyn?' Crafodd ei phen gan edrych yn amheus i gyfeiriad Jane. Roedd yn ceisio cofio'i nodiadau o ddarlithoedd yr hen John Gwil erstalwm. Roedd Jane wedi gadael rhywbeth allan o'i chrynodeb a fedrai Meg yn ei byw gofio'n union beth oedd o. Byddai'n mynd ffwl-sbid i'w stydi 'rôl cyrraedd adre i dyrchu am ei ffeiliau coleg o'r saithdegau. Rhyfedd na fedrai gofio hefyd, gan fod Meg yn cadw popeth ar gyfer ysgrifennu'i hunangofiant, ryw ddydd.

Ond ddaru neb sbio i'w chyfeiriad hi'r tro yma. Ar Kate roedd pawb yn sbio. A sbio'n go sobor hefyd, achos pwy oedd am fentro egluro i Kate beth ydi bod yn hoyw? Trodd pob llygad at Bethan.

'Pam dech chi'n sbio arna i?' holodd hithau gan ledu'i gwefusau'n ddwy linell syth a chodi'i hysgwyddau mewn cwestiwn. Roedd Bethan heno'n gwisgo ffrog laes gotwm at ei thraed a sgidiau dringo go fwdlyd. Roedd tipyn o gwestiwn yn llygaid rhai o bla wlad y daeth ei synnwyr ffasiwn.

'Y bali gast 'ne sy gen i,' meddai Bethan. 'Mae hi'n cuddio pethe, 'nenwedig sgidie meddal, ac wedyn yn troi ata i hefo gwên ar ei hwyneb, fel tase hi newydd gael ... ym ... ym ... mmmmmm ... asgwrn! Be newch chi hefo gast fel'ne, 'dwch? Go drapia!'

'Rwyt ti'n un dda am ddeud petha cymhleth yn syml,' anogodd Eigra, rhag ofn i rywun droi ati hi i egluro pethau. Roedd yn llygadu eto ar gyfer llunio stori am yr hen betha ifanc 'ma.

Edrychodd Kate o gylch y bwrdd i weld pwy fyddai'n egluro. Roedd Meg wedi codi i gerdded a mystyn – unrhyw beth ond bod yn rhan o'r cymundeb enbyd hwn – a throi i graffu darllen yr enw o dan lun o ryw fardd cadeiriol angof oedd mewn ffrâm ar wal y llyfrgell. 'Pam craffu arno?' meddyliodd Kate. 'Nid yw darnau arobryn yr Eisteddfod Genedlaethol yn ddim ond tipyn o dalent â farnais arnynt.' Sylwodd wedyn ar Jane yn edmygu'i hewinedd sgleiniog a'r ddwy dili-do'n sbio ar ei gilydd yn ddigon gwac a mew.

'Wel ymmmm,' meddai Bethan, i ennill amser i feddwl. 'Hoyw ydi rhoi cusanau nwydwyllt i rywun o'r un rhyw â chi'ch hun,' meddai ar un anadl. 'Ie. Dyne fo. Bachgen yn cusanu bachgen yn rhywiol neu eneth yn cusanu geneth mewn dull lesbaidd,' a sgubodd ei rhimyn gwallt o'i thalcen, yn chwys oer.

'Ew, Bethan, rwyt ti wedi dy eni i fod yn athrawes,' meddai Jane, a nodiodd pennau Sali Mali a Chadi Wyn mewn cytgan. Bywiogodd ysbryd pawb. Siawns na fyddai hynny'n bodloni'r Frenhines yr oeddent mewn parchedig ofn ohoni.

Astudio Bethan roedd Kate gan sylwi bod ganddi freichiau fel pe bai'n tylino padellaid o does yn ddyddiol. Cododd hynny hiraeth arni am gymuned glòs Cae'r Gors. Syllodd yn edmygus, â rhyw befr yn ei llygaid, cyn dod i'r penderfyniad bod harddwch

Bethan yn ddigon i oleuo stryd. Teimlai'n rhyfeddol gartrefol yn ei chwmni; roedd llawer i'w edmygu am fywyd hon.

Cafwyd distawrwydd am ennyd go dda: pawb yn edrych ar Kate, a Kate fel pe bai'n hel meddyliau go ddwfn. Roedd Kate yn gwisgo *twinset four-ply* o liw porffor a chadwen berlau un llinyn am ei gwddw, anrheg gan Morris o'u dyddiau dal dwylo. Gwisgai sgert wlân o liw cyffelyb hefo pleten bob ochr a agorai at yr hem oedd dair modfedd dan y ben-glin. Gwisgai sanau neilon wedi'u plygu drosodd a gardas i'w dal. Sylwodd y gwragedd, wrth iddi groesi'i choesau, bod ganddi wlanen wedi'i chlymu dros ei dwy ben-glin.

Meddyliodd Jane y byddai Meg wedi ebychu neu Bethan wedi piffian, ond ddaru nhw ddim achos roedden nhw'n cofio'u neiniau'n lliniaru gwynegon fel hyn 'rôl oes o sgwrio lloriau llechi ar bnawniau Sadwrn a pholishio'r leino cyn ymweliad pregethwr pwysig i fwrw'r Sul.

'Wel,' cyfaddefodd Kate yn dawel, fel petai mewn seiat. 'Dwi ddim fel taswn wedi ngeni i'r oes hon.'

'A!' meddai Sali Mali.

'A!' meddai Cadi Wyn, bron ar yr un gwynt â hi. Dyna'n union sut roedden nhw'u dwy'n teimlo hefyd, ac fe 'sgydwon eu pennau'n ddeallus.

'Dwi'n cofio fel y byddem gartref,' meddai Kate. 'Un llofft fyddai yn nhai rhai chwarelwyr, hefo dau wely wenscot a'u cefna at 'i gilydd a'u talcenni at lawr y gegin. Mewn tyddyn mwy byddai un llofft i'r plant hynaf, a byddai'r plant iau yn rhannu llofft eu rhieni. Yn fy nghartref i, roeddwn i a'm brawd lleiaf, Dafydd, yn rhannu un gwely a'r ddau frawd canol yn rhannu gwely arall, yn y siambr gefn, tra byddai ein dau hanner brawd hŷn yn dringo ystol i gysgu gefn yng nghefn ar fatres rawn yn llofft y daflod. Pan oeddwn yn hŷn, hefo fy mam y cysgwn yn y siambr ffrynt a nhad hefo'r hogia.'

Saib.

'Mi roedd fy mrawd Dafydd bron wyth mlynadd yn iau na mi. Byddwn yn ei fagu yn fy mreichia am oria bwygilydd tra byddai fy mam yn brysur hefo'r corddi a'r pobi. Roeddwn i'n ei fwytho, yn lapio fy mreichia amdano cyn mynd i gysgu ac wedyn byddem yn gorwadd ym mhant ein matres blu i gadw'n hunain yn gynnes, fel dwy frechdan grasu.

'Ei fam fach o oeddwn i, a phan fu farw Dei o'i glwyfa rhyfal yn Malta bell, bu'r golled i mi yn fwy na cholli brawd.'

Saib.

'Dyna beth oedd cysgu hefo rhywun yn ei olygu erstalwm – rhannu gwely. Mynd yno i gysgu. 'Ffwyso! Doedd rhieni byth yn cael rhyw, fel y disgrifir y peth mor ddigywilydd y dyddia hyn, gan fod y plant yn cysgu yn yr un llofft â nhw. Doedd rhywioldeb i ferched ddim wedi'i ddyfeisio yn fy oes i a dim ond pan ddechreuwyd defnyddio'r bilsan y daeth o'n beth ffasiynol. Ches i na nghyfoedion 'rioed gyfle i ddilyn y ffasiwn, fe wyddoch, achos rywle rhwng y chwaral a'r cartra roedd ein bywyda ni, wedi'n dal rhwng dau Ryfal Byd a dirwasgiad dychrynllyd. Bywyd calad, dyna be oedd o. Calad. A dyna'r oll.'

'Ia, ia,' nodiodd Eigra gan blygu ymlaen i roi ei phenelinau ar y bwrdd a gorffwys ei gên ar ei bysedd plethedig. Roedd hi'n ailfyw'r peth.

'Wel,' meddai Bethan mewn sioc a phenbleth. 'Oeddech chi ddim yn mynd allan i garu erstalwm?'

'Canlyn fydden ni yn fy oes i, mechan i. Trefnu i gyfarfod hefo dyn ifanc mewn siop de ar bnawn Sadwrn, ac os byddai'r tywydd yn caniatáu, mynd allan am dro wedi hynny. Mi fues i a Morris yn canlyn am flynyddoedd, yn sgwrsio a llythyru – trafod llenyddiaeth a gwleidyddiaeth – a dyna sut y daethom i garu'n gilydd a phenderfynu y gwnaem bâr da mewn bywyd.'

Roedd pawb yn glustiau distaw nes gofynnodd Bethan yn ynfyd, 'Fe ddywedoch eich bod wedi cael cusan gan wraig, un tro. A fu hynny'n drobwynt i'ch bywyd?'

'Cusan gan wraig?' ffromodd Kate. 'Rhaid eich bod yn drysu! Pa gusan fyddai honno? Does 'na ddim sôn am 'run gusan fel'ny yn fy storïa i.'

'Wel, cusan gan wraig rhyw gigydd pan oeddech yn byw yn y de ac wedi aros y nos hefo hi a'i gŵr 'rôl traddodi darlith yn yr ardal,' prociodd Bethan, oedd wir ishio gwybod am bethau fel hyn.

'Chlywais i 'rioed y fath beth,' meddai Kate gan fwrw drwyddi. 'O ble wir y cawsoch chi syniad mor hurt?'

'Maddeuwch i ni, Dr Kate,' meddai Jane yn ddiplomataidd gan neidio i'r adwy. 'Cyfeiriad sydd yna yng nghofiant yr Athro Llwyd amdanoch, pan mae'n dyfynnu o lythyr preifat a ysgrifennoch pan oeddech yn canlyn. Fe ddywedoch wrth Morris fod gwraig wedi eich cusanu a'ch bod wedi mwynhau'r gusan.' Roedd Jane yn wrid hyd ei chlustiau. Roedd hon yn sefyllfa annifyr dros ben, sefyllfa na freuddwydiodd erioed y byddai ynddi.

'O! Rwy'n cofio rŵan. Cusan gan wraig oedd yn ddigon hen i fod yn fam imi! Roedd ei mab yn y cerbyd yn barod i'm hebrwng ben bore i'r orsaf drenau.'

Roedd saib annifyr ar ôl yr esboniad syml, a phawb yn ceisio meddwl sut i symud y drafodaeth ymlaen.

'O, rhyw dipyn o sws gawsoch chi felly,' meddai Bethan, 'nid clamp o snog! Mi ges i sws unwaith gan fodryb i mi, pan oeddwn i'n hogan fach, a dwi 'di diodde crach annwyd ar fy ngwefus bob blwyddyn byth ers hynny, diolch iddi hi!'

Ond er sirioldeb Bethan roedd llifddorau Kate wedi'u hagor bellach.

'Cusan!' melltiodd llygaid y Frenhines. 'Cusan ar wefus, yn wir! Oedd, mi roedd o'n brofiad rhyfedd. Roeddwn i'n ifanc ac roeddwn wedi rhyfeddu o gael cusan ar fy ngwefus. Chofia i erioed i fy mam na 'nhad, na 'run o'm neiniau, ran hynny, roi cusan i mi ar fy ngwefus. Doedd pobl ddim yn cusanu eu plant y dyddia hynny. A feiddiai neb ddweud "ti" wrth eu rhieni, chwaith. "Chi" fyddem yn ei ddweud bob amser, ac ysgwyd llaw fyddem wrth ffarwelio a diolch drosom. Ond yng nghymoedd y de mi ddois i ar draws pobl fwy cynnas ac agos atoch. Roedd gwraig y cigydd dan sylw wedi edrach ar fy ôl i fel mam ac fe roddodd gusan ffarwél i mi fel pe bawn i'n ferch iddi. Efallai mai ar fy moch y bwriadodd roi'r gusan ond fe droais fy mhen yr union foment honno a'i derbyn ar fy ngwefus.

'Gan i chi sôn am y peth, mi gofiaf grybwyll y digwyddiad mewn llythyr at Morris. Mae'n debyg y byddai gan ryw ddadelfennwr meddylia rywbeth i'w ddweud am betha fel hyn, ond soniodd Morris 'rioed am y peth.'

Doedd neb yn gwybod beth i'w ddweud nesa.

'Ferched!' meddai Kate o'r diwedd, a'i hwyneb yn daran. 'Mi luniodd un o'm cyfeillion bryddest eisteddfodol am brofiad gwryw-gariad. Ydach chi'n meddwl na fuaswn innau wedi mentro ysgrifennu storïau hoyw, pe bawn o'r anian honno? Na. Saunders fu'r dylanwad mawr ar ein penderfyniad. Oni chofiwch am ei nofel Gatholigaidd yn dirmygu rhywioldeb? Oni ddarllensoch am Monica a'i phriodas druenus, ei phriodas seiliedig ar chwant?'

Roedd y distawrwydd yn siarad cyfrolau, pawb yn ofni anadlu bron.

'Doedd Morris ddim yn un am gusanu ar wefusa. Dyna sut oes oedd hi, welwch chi. Welais i 'rioed mo fy mam na 'nhad yn cusanu chwaith.'

Oedodd, gan edrych o gwmpas y bwrdd i weld ymateb y merched.

'Dyw, dwi wedi colli dim,' chwarddodd Bethan i ysgafnu'r tensiwn. 'Mae yne fwy o ryw yng nghlawr rhai llyfre nag sy yn y stori yma!'

'Wel, fyddech chi wedi hoffi cael teulu?' holodd Eigra'n ddewr. 'Falle bod raid i rywun ddiodda cael plant a'u magu nhw, ond os na chewch chi blant chewch chi ddim wyrion. Mae pawb yn hoffi bod yn rhan o deulu hapus,' ychwanegodd yn ansicr, gan deimlo'i bod yn rhagrithio braidd. Addunedodd iddi'i hun yr ysgrifennai am deuluoedd hapus y tro nesa.

'Na, doedd Morris na minnau 'rioed eisiau plant – maen nhw'n fwy o drafferth nag o werth ac mae 'na ryw fydau hefo hwynt o hyd. Roedd fy mam yn fydwraig ardal ac roedd y storïau a ddywedai yn ddigon i godi gwallt eich pen, credwch chi fi. Merched mewn poenau arteithiol ar aelwydydd tlawd, weithiau am ddyddiau, nosweithiau lawer, yn methu symud gewyn gan boen. Nifer yn colli eu gwaed ac yn marw ar yr aelwyd o flaen llygaid eu plant. Y rheini'n crio'n dorcalonnus nes y deuai rhywun, rywbryd, i gymryd trugaredd arnynt a mynd â nhw adre i'w magu. Byddai fy mam yn llym ei thafod am y dynion di-hid a orfodai eu gwragedd i fynd i'r fath gyflwr dro ar ôl tro, dro ar ôl tro.' Ysgydwodd ei phen a llais ei mam yn glir yn ei chof.

'Ac o ble y deuai'r arian i brynu bwyd i'r creaduriaid bach, dywedwch i mi? Chwarelwr galluog oedd fy nhad ac mi roedd fy mam ar gael unrhyw awr o'r dydd neu'r nos. Mi fues i'n hynod, hynod lwcus i ddianc o'r fath dlodi. Cyfystyr â thlodi ydi geni plant i mi. Doeddwn i ddim am ddianc o'r tlodi hwnnw, afradu aberth fy rhieni a'm hanfonodd i'r Brifysgol er pob cost a dyled, i ddim ond byw fel un na chafodd unrhyw gymhwyster erioed. A dydi geni a magu plant ddim yn gwneud priodas hapus, credwch chi fi. Priodas o gyfleustra oedd priodas fy rhieni, ail briodas i'r ddau. Gwneud eu dyletswydd a chreu disgynyddion yw rhan y wraig, fel y gwyddoch, o'r cyfamod priodas, ond fe roddodd fy nhad addewid i fy mam na fyddent yn planta'n ddiddiwedd.' Roedd Kate ar gefn ei cheffyl rŵan a'i geiriau'n chwip.

'Priodas o gyfleustra gawsom ninnau, a threfnasom i'r offeiriad addasu geiriad ein cyfamod. O ddau ddrwg, efallai mai dyna'r drwg lleiaf. Fel yna y gwelais i hi ar hyd fy mywyd, dewis rhwng dau ddrwg o hyd. Roeddwn i'n dysgu plant a'r rheini heb fwy o ddiddordeb mewn gwybodaeth na chath fy nhŷ lojin, a doedd cael canlyniad da gan blant mewn arholiad yn rhoi dim hapusrwydd i mi.

'Stad o feddwl ydi hapusrwydd, heb fawr reswm drosto. Fe lwyddom i godi'r Cilgwyn, rhywbeth na allai hen lanc neu hen ferch ar ei phen ei hun ddim ond breuddwydio amdano. Fe wnaeth derbyn allwedd y tŷ am y tro cynta i mi lefain o hapusrwydd. Roedd y profiad o gynllunio a chodi cartra, ac wedyn gallu dewis a thalu am ddodrefn hardd iddo yn bwysig iawn, iawn i mi. Roedd yn nefoedd i ni'n dau, a ddioddefodd ddau Ryfal Byd, cyni, dogni a thlodi.

'Roeddan ni'n cyd-fyw fel dwy fanag, ac oedd, roedd dealltwriaeth rhyngom – fe roddodd Morris gefnogaeth lwyr i mi ddal ati i ysgrifennu a chyhoeddi. Roeddan ni'n gwpwl arloesol. Ie, arloesol! Ni oedd yr unig gwpwl oedd yn priodi gyda'r bwriad o beidio â chyflawni gweithred gwely priodas. Wn i ddim am neb arall fu ddigon dewr i wneud hyn.

'Parch sy'n bwysig mewn priodas. Parch oedd gen i at Morris ac yn wir dim ond parch a dderbyniais innau ganddo yntau, er ein bod yn mynd ar wynt ein gilydd o bryd i'w gilydd, wrth reswm. Ond am yr oes hon, ble mae eich parch chi?' holodd yn chwyrn a gwrid fflamgoch ar ei hwyneb fel machlud stribedog.

Gallasech fod wedi clywed pìn yn cwympo a Miss Roberts, y ferch lengar deimladwy yn gweddnewid o'u blaenau yn Mrs Williams, y wraig graff fu'n rhedeg busnes pan nad oedd gan ferched ei chyfnod hyd yn oed hawl i bleidlais.

Roedd melinau'r meddwl yn chwyrlïo, sawl erthygl yn ffurfio ym mhen yr awduron a phob un yn awchu am fod y gyntaf i gael cyhoeddi'r datgeliad tra, tra gonest.

Ymhen ennyd ychwanegodd Kate: 'Ar ôl meddwl eiliad, mi faswn i'n dweud yn blaen heno fod yn llawer gwell gen i ddarllen Katherine Mansfield na'r cofiant yma gan Alan Llwyd gan fod yr awdur wedi'i gludo ar lanw ei huodledd ei hun. Tri pheth sy'n gas gen i, a hynny ydi pobl fusneslyd, pobl ddwl siaradus mewn pwyllgora a phlant anhydrin. Er, pan fydd y cofiant yma ar gael o lyfrgell y dre, dwi'n siŵr y gwna i drio'i ddarllan o. Bydd fy chwilfrydedd yn drech na mi.'

Ar ôl tipyn o saib dywedodd, 'Mi fydda i'n meddwl weithiau mai eisiau dangos ein hunain yr ydan ni i gyd yn y bôn a'n bod yn cymryd ein hunain ormod o ddifri o lawer.'

Ar ôl hynny o eiriau daeth y noson drafod i ben yn ddisymwth a ffarweliodd pawb â'i gilydd yn ddiymdroi gan fod gan rai siwrnai go bell mewn tywydd anffafriol.

Toc cyn hanner nos canodd y ffôn yn nhŷ Jane. Kate oedd yno.

'Dwi wedi bod yn pendroni ac yn methu'n llwyr â chysgu,' meddai.

'Bobl bach, be sy'n bod?' holodd Jane yn bryderus gan fod Kate yn llawer hŷn na hi.

'Wel,' meddai Kate, 'dywedwch i mi, Sali Mali a Chadi Wyn, ydi'r ddwy yn ... fel y dywedodd Bethan?'

Doedd Jane ddim yn gallu credu'i chlustiau.

'Wel nacdyn, siŵr-dduw,' meddai'n groes. 'Pypeda ydan nhw!'

'O!' Roedd dryswch amlwg yn llais Kate wrth ddiffodd y ffôn

ac roedd wedi'i ffromi. Ond doedd hi ddim yn un i gael torri ei chrib. Cythrodd i'r parlwr am ei phapur ysgrifennu ac erbyn i'r wawr dorri roedd llythyr mewn amlen wen ar fwrdd y gegin:

Annwyl Fonwr Llwyd,
Nid wyf am ysnachu am y cofiant a luniasoch amdanaf ond gwnaethoch i mi deimlo fel ffowlyn ar farmor cigydd, wedi'i ddiberfeddu.
Ni allaf felly lai nag ysgornio ...

Wedi iddi gwblhau ei thruth, daeth rhyw deimlad braf drosti; mor braf oedd bod ar wahân, yn lle bod ymysg pobl.

* *Defnyddiwyd rhai o eiriau'r awduron eu hunain ond dychmygol yw'r gweddill ac ni fwriadwyd unrhyw anfri.*

Dolgellau

'Dyfalbarha ac fe lwyddi mewn bywyd' – dyna'r cyngor a gefais.

Ddoe roeddwn i wedi syrffedu'n lân o orfod diodda cyfarfod staff arall i drafod ein targeda diweddara. 'Rargol! Mae fel cael patrwm gweu gan rywun na chydiodd erioed mewn gweill ei hun. Targeda? Bwleda fyddai'n air agosach ati – uchaf y cyflog iddyn nhw, mwya'r boen a'r blinder i ni.

Unwaith y mis daw'r wobr aur, slip o bapur cul, rhestr fy nyledion – o'm cyflog, didyniada treth a phensiwn, didyniada dylad coleg, didyniada dylad hurio car, ac wele, ar y gwaelod swm bychan i mi dalu fy rhent, treulia byw a phetrol.

'Lwcus bod gen ti swydd!' meddai'r teulu. Lwcus o weithio mewn cawell ddi-haul meddyliais, e-byst yn picellu'r awyr a phawb dan luwch o waith.

Yr hyn *oedd* yn 'y mhoeni i oedd: ydw i am ddyfalbarhau i dwistio papur yn swyddfa gul y Cyngor nes y gwelaf wawrio chwe deg wyth a slip bach llwyd o bensiwn?

Ond yr hyn sy'n 'y mhoeni i rŵan ydi: lle ca' i swydd arall pan gaeir y swyddfa 'ma oherwydd toriadau'r ad-drefnu?

Ewlo

Roedd hi'n mwynhau'r rhythm cyfforddus, ei holl gyhyrau'n symud yn llyfn ac yn feddal, fel teigres yn tuthio. Roedd hi'n siapus, cyhyrau'r goes a'r fraich yn dynn a phob gewyn mewnol o'i chorff fel tannau telyn wedi'u tiwnio'n berffaith.

Wrth duthio gallai freuddwydio'n rhwydd am athletwyr Olympau Llundain a'i llesmeiriodd am y pythefnos diwethaf – cyfnod y campau orgasmaidd.

Agorodd ei llygaid ac o'i blaen, mewn wal o ddrych, gwelodd ei chorff yn tuthio'n rhythmig ar y peiriant rhedeg yng nghampfa gwesty Parc Dewi Sant, a gwenodd ei hadlewyrchiad o'r drych.

Ymhen hanner awr bydd yn ymolchi, yn ymbincio ac yn gwisgo siwt sydd fel maneg amdani i fynd i'w gwaith yn Llys y Goron, Caer.

Heno, penderfynodd, byddai'n rhoi hysbyseb ar y we: 'Yn eisiau: dyn. Rhaid iddo edrych fel athletwr Olympaidd.'

Ni allai feddwl am ddim byd arall i'w roi. Edrychodd i'r drych eto.

'A! Wn i. "Rhaid iddo wneud popeth i fy mhlesio, ddydd a nos." '

Nawr gallai fyw breuddwyd barhaol a neb i'w styrbio.

Perffaith saff!

Ffestiniog

Pan eisteddodd yn sedd y gyrrwr a chau drws y car hefo clep doedd ganddi ddim syniad beth i'w wneud.

Yn y drych gwelodd wyneb curedig. Dynes ddiarth oedd yno. Dychrynodd.

Yn grynedig, taniodd y car a gyrru i ffwrdd heb syniad ble i fynd. Daeth y radio ymlaen a chlywodd lais Hywel Gwynfryn yn datgan: 'Ac i ddiweddu'n rhaglen heddiw, fe gawn y garol hoff am y forwyn Fair, "Mair, Mair, paid ag wylo mwy", gan ddymuno Nadolig hapus a llawen i chi i gyd!'

Anelodd y car i gyfeiriad lloches i ferched ym Mangor gan bryderu, yn arbennig yr adeg yma o'r flwyddyn, y byddai fanno eisoes yn fwy na llawn.

'Pwy ddiawl ddyfeisiodd Dolig?' ochneidiodd gan ystyried ei chyflwr. 'Be'n union a grëwyd? Syniad da ar y pryd, efallai, ond erbyn heddiw, beth? Helynt. Helbul. A Heip!'

Fflint

Roedd hi wedi edrych ymlaen at gael tipyn o eistedd-lawr i wylio *Wedi 3* ar S4C ac yna *Dechrau Canu, Dechau Canmol*, a ddeuai â chymaint o atgofion iddi am ei magwraeth yn Ffynnongroyw. Ond roedd gwaharddiad ar unrhyw raglenni Cymraeg tra byddai o gartref. Treialon Fformiwla Un a holl raglenni MotoGP oedd ei fiwsig o – ceir dandi'n crafu corneli, yn sgrechian cylchedau ac weithiau, er mawr gynnwrf a rhegi, yn ffrwydro'n shitrws a thanchwa.

'I'll be back soon,' sibrydodd o ddrws ffrynt eu tŷ cyngor yn y Fflint, ac am ryw reswm, yn hollol ddifeddwl, sychodd ei thraed wrth fynd allan.

'Be back for five. I need my tea for then,' atebodd llais cryg, a'i feddwl yn rhywle arall.

Un o'r werin oedd hi – un ddwys, deimladwy, wedi'i magu gan ei nain ac wedi'i mowldio i fod yn ufudd, ddigwestiwn.

Crwydrodd Mair yn ddiamcan o amgylch hen gastell Edwardaidd y Fflint, oerwynt gwlyb yn cripian dan ei dillad o foryd fwdlyd afon Dyfrdwy. Roedd wedi cerdded heibio'r olygfa hon bob dydd ers iddi briodi ac erbyn hyn roedd mor ddisylw â'r blociau fflatiau llwm ar ochr arall y dre.

Heddiw, bnawn Sul di-haul o Ionawr, wele, yn ddisymwth rimyn o borffor gwaetgoch yn goreuro muriau'r castell. Stopiodd yn syfrdan.

'Castell y Fflint!' meddai'n uchel wrthi ei hun. 'Wel, sbia arno fo, mewn gwirionedd!' meddai llais o'i mewn yn llawn ofn a rhyfeddod.

Roedd rhai o gerrig ysgithrog y muriau wedi troi'n gilddannedd enfawr yn barod i'w llarpio. Roedd darnau o'r mur yn fyw o dyllau ac wedi erydu'n rhimynnau bregus.

Rhedodd ei bys ar hyd arwyneb garw rhan o'r twr mawr oedd fel croen heb ei siafio ac a fu mewn tywydd gerwin am gyfnod go faith. Roedd cen a mwsog yn tyfu yn y mannau llaith megis blew cesail. Roedd tyllau saethu yn syllu arni fel llygaid mileinig o'r cyn-oesoedd. Agorodd ceudod enfawr o'i blaen a disgwyliai i saeth o dafod anelu ati unrhyw eiliad.

Cerddodd yn llawn pryder o amgylch y castell gan ei lygadu'n syfrdan fel pe bai'n ei weld am y tro cyntaf. Rhwng yr asennau o gerrig roedd gwacter mawr lle bu unwaith gastell anferth. Arafodd ei cham ger siafft geudy o'r lloriau uchaf a chododd ei llaw yn anorfod dros ei cheg.

Dyna pryd y daeth panig i'w pharlysu.

Roedd wedi'i hamgylchynu gan y muriau hyn, asennau'r crombil. Roedd croen pigau barf y muriau'n rhy agos ati, y geg agored, y llygaid cyhuddgar a'r pydredd danheddog.

Teimlai nad oedd dihangfa iddi o unrhyw gyfeiriad a doedd undyn i'w weld yn unman. Wel, dyna ddiwedd arnaf, meddyliodd. Hwn yw fy ngharchar unig.

Eisteddodd am beth amser ar y gris a arweiniai i lawr i bydew tywyll.

Pan fedrodd, o'r diwedd, wynebu mynd tua thre roedd Eddy foldew yn aros amdani.

Roedd yn wyllt: 'Friggin foreigners! Vettel, Alonso, Räikkönen and Webber! Would you believe it? Lewis Hamilton was fifth and Jenson Button was sixth in the twenty twelve F1 Championship at Abu Dhabi today! Hell! Hell! Hell to the lot of 'em!'

Nid oedd wedi molchi na siafio a phan agorodd ei geg i daranu am rywbeth nad oedd yn ei byd hi, syllodd Mair, fel ar ddrychiolaeth, ar y ceudod a wynebodd eisoes y pnawn hwnnw.

Roedd Castell y Fflint yno, yn soled, yn ei stafell fyw.

Glan Clwyd

Ffonio roedd hi o ward mamolaeth yr Ysbyty hefo'r newyddion brawychus am yr enedigaeth gynamserol.

'Dim ond saith can gram ydi hi.'

'Bobol bach.'

'Mae hi dros ddeufis yn gynamserol.'

'Bobol bach.'

'Dwn i'm sut fyw fydd iddi.' Saib.

'Bobol bach. Dy'n ni ddim yn gwybod pa mor lwcus ydyn ni.'

Ddywedodd hi 'run gair pellach gan fod trallod un yn gwneud i'r llall deimlo'n ffodus.

Gresffordd

Chwilio am gôt orau yn George Henry Lee, Lerpwl, gan edrych ymlaen at fynd i swper diolchgarwch ym Mryn Tabor ymhen mis. Mary'n herian: 'Cofia gael un hefo digon o le o dani!' Mae hithe yn yr un cyflwr â minne. Piffian chwerthin wrth i ni esgyn yng nghawell esmwyth y siop, fel adar bach boldew, dibryder.

...

Dau gant chwe deg chwech, yn chwys eu dillad glofa, yn edrych ymlaen at unrhyw beth heblaw hyn, llafur caethiwus ponc ddiaer. John yn herian: 'Argol! Fyddwn ni ddim yn hir na fyddwn ni'n Osdrelia! Aur ydi clapie glo fanno, hogie!' Mwynhau'r hiwmor, ac fel caneris diniwed, yn trydar cyn i'w sgerbwd sgrytlyd o gawell blymio'n blyciog tua'r ffas.

...

Oddi ar y rhai na chwblhaodd eu shifft, chwarter diwrnod o gyflog a ataliwyd, a chyrff y tadau a'r meibion a glowyd yng nghrombil Llai Main yn aberth i'r Brenin Glo. Hyd byth.

Hiraethog

Pedair oed oeddwn i'r bore hwnnw, y pumed plentyn o bump, nifer cyffredin y dyddie hynny.

Mi fydden ni'n lwcus pe bai gennym un ddol, un jig-so, llyfr neu ddau addas i blant, i'w rhannu. Dyne'r cyfan. Fe wydden ni fod tegane ar gael ond fedren ni byth ddisgwyl i Santa Clos ddod â rhai i ni. Roedden ni'n derbyn tlodi, yn disgwyl dim gwell.

Allan o grât orene Seville a ddaeth yn wag ar ôl i fy mam orffen gwneud marmaled ohonynt y ces i'r syniad o wneud cot bach i ddoli, ac fe ges i ganiatâd fy mam i fynd trwy'r bag rags i chwilio am ddarne bach o ddeunydd, cornel rhyw hen gynfas dreuliedig neu ryw ddarn bach o wlanen oedd yn rhy fach i unrhyw ddiben arall. Roedd y pegie dillad hirgoes yn debyg i bobl fach yn fy meddwl i, ac mi freuddwydies am greu teulu bach twt trwy eu gwisgo mewn carpie a chrafu marcie inc ar eu hwynebe.

Un bore roedd ein cath, cath fferm, llygotwraig gref, wedi dod ag un o'i chathod bach i'r gegin a'i rhoi yn fy nghot doli. Cadwn y bocs yma'n gudd mewn cornel dywyll o dan fainc bren a redai o gylch wal y gegin lle byddem ni, blant llwglyd, yn eistedd yn un rhes i fwyta pryde bwyd maethlon fy mam.

Roeddwn i wrth fy modd, uwchben fy nigon. Ystyries fod y gath fach yn anrheg arbennig i mi gan y fam gath – anrheg o fabi bach meddal, cynnes, miawllyd i mi fwytho'i hesgyrn brau a'i bwydo hefo chydig o laeth cynnes allan o hen soser.

Ar ôl cinio galwodd fy nhad arnaf, ar fy mhen fy hun, i sefyll ger y ffos a redai ar waelod buarth y fferm. Yn ufudd, wrth gwrs, fe es a sefyll yno, yn cael hanner fy nallu gan haul poeth ganol dydd.

Yn ei law roedd bwced bwydo'r moch ac yn y llaw arall fy

nghath fach i, oedd yn mewian yn egwan. Plygodd i lawr a hanner llenwi'r bwced hefo dŵr oer, budr. Daliodd un llaw fawr galed y bwced a daliodd y llaw fawr galed arall y gath fechan drilliw, ychydig ddyddie oed. Daliodd y gath o dan y dŵr nes mai'r unig beth oedd ar ôl oedd dernyn bychan llipa o ffwr gwlyb, trwyn bach pinc, oer a dwy lygad glaear.

'Dyma i ti ddysgu,' meddai, 'nad ydi'r byd yma yn fyd caredig.'

Troais ar fy sawdl a rhedeg dan grio i chwilio am fy mam yn y gegin. Daeth fy mam i'w holi: 'Pam y gwnest ti hynne i'r plentyn, Gwilym?'

Chafwyd dim ateb. Dim ond ei gefn crwm a welsom yn cerdded oddi wrthym i dreulio pnawn arall yn digaregu a ffosio ar y ffridd lwyd.

---

* *"Hyffordda blentyn ym mhen ei ffordd; a phan heneiddio nid emydy â hi." (Diarhebion, pennod 22, adnod 6)*

Llandanwg

Mae ei cherrig beddau wedi plygu'n reddfol i addoli'r pridd, y cen arnynt yn tystio i heli a gwynt tragwyddol.

O fewn ei gwacter mae sgleinder llyfn cwyredig yn gwadu bod i bren ei gnotiau a'i geinciau. Mae clawr y llyfr mor drwm a'r tudalennau mor frau.

Stelcia perarogl y meirwon yn gryf yn y llenni melfed ac mae dwy ganrif wedi sugno egni o'r meini hyn.

Chwrddais i ag undyn a chlywais 'run weddi ond rhyfeddaf mai yn yr eglwys farw hon, yng ngolau cannwyll wêr, y cyneuwyd cariad a genhedlodd obaith dyfodol melodus i ni.

* *Catrin Finch a Hywel Wigley. Gweler hunangofiant Elinor Bennett Wigley,* Tannau Tynion.

Llandudno

Mae dwy ran o dair o'r ffotograff yn ddwl a llwyd undonog. Yn y traean uchaf mae topiau coed *leylandii*, rhywogaeth dramor, oresgynnol, ac yn y traean isaf dim ond topiau arwyddion parcio annelwig.

Dyna'r cyfan.

Mae dwy ran o dair o'r ffotograff nesa yn ddwl a llwyd undonog. Ar y gwaelod, ar y ddwy ochr, ceblau peilonau a rhyngddyn nhw, i lawr isod, mae eglwys fach lwyd a slabiau llai o gerrig cennog.

Dyna'r cyfan.

Mae dwy ran o dair o'r trydydd ffotograff yn gymylau duon, bygythiol. Ar y dde yn y gwaelod mae top *helter-skelter* gwag, dibleser, yn gwylio dros fys llwyd o bromenâd ac amlinell foel arfordir gogledd Cymru.

Peth fel hyn, yn llwyd a gwag, yw fy ngalar.

Llanddona

Roedd hi'n pregethu eto wrth yr hogyn bach, 'Os na wnei di ymarfer, wnei di byth ennill!'

Roedd o, yr hen beth bach, yn crio erbyn hyn, dagrau gwlyb yn ffosydd hyd ei ruddiau. 'Ond Mam, dwi'm ishio cystadlu! Dwi'm ishio trio! Dwi'm ishio dysgu dim byd!'

'Twt lol! Mae pawb sy mewn swydd o bwys ar y cyfrynga wedi bod ar y llwyfan. Mi fedri ditha 'fyd, jysd fath ag Aled! Reit, awn ni dros y geiria 'ma 'to!'

Sythodd y fam a dechrau ystumio'r geiriau'n ddramatig, y darn llefaru a'r darn canu o'i blaen. Noson ar ôl noson fe'i gwyliodd hi'n hyfforddi'r hogyn bach wrth y piano. Doedd neb yn gwrando'i gŵyn nac yn sychu'i ddagrau.

Ffoniodd 0800 770022 ar ei ffôn boced.

'Noswaith dda. NSPCC Cymru sydd yma. Sut allwn ni eich helpu?'

Oedodd ennyd, yna meddai'n frysiog: 'Dwi am roi £20 y mis i atal creulondeb i blant.' Sleifiodd y ffôn yn ôl i'w boced, hefo ochenaid fawr o boen. Sut allai gwyno am ei wraig ei hun?

Cofiodd fwlio cyffelyb a orfodai iddo adrodd talpiau sylweddol o'r Beibl gan deimlo'n swp sâl gerbron delwau hynafol y Sêt Fawr a chofiai frath gwialen fedw am ateb yn ôl neu brepian am bobl oedd mewn swyddi tra-awdurdodol.

'Y wialen a cherydd a rydd ddoethineb: ond mab a gaffo ei rwysg ei hun, a gywilyddia ei fam.' (Diarhebion, pennod 29, adnod 15)

A'r adnod yn adrodd, ailadrodd, ac ailadrodd yn ei gof.

Llanelwy

Roedd y tair ohonon ni'n byrlymu o gymeradwyaeth wedi i Catrin Finch orffen ei datganiad o Gonsierto Tailleferre i'r Delyn, yn Eglwys Gadeiriol Dinas Llanelwy.

'Argol Dafydd!' medde Meri. 'Mi faswn i'n licio canu'r delyn fel yne!'

'A finne 'fyd!'

'Mi faswn i yn fy nefoedd taswn i'n gallu chware fel yne! Mae'n edrych fel rhwbeth ... wel, rhwbeth mor rhwydd ag anadlu iddi!'

'Mi ges i chydig o wersi telyn hefo Dorothy Miarczynska yn Ysgol O. M. Edwards, ond wnes i ddim cario mlaen efo nhw yn Ysgol y Berwyn wedi hynny. Biti, yndê?'

'Finne hefyd. Mi ges i fenthyg telyn gan Dewi o'r Gymdeithas Gerdd Dant am flwyddyn, ond wnes inne ddim dal ati. Rhy ddiog, mwn. Dwi'n difaru rŵan.'

'Gwersi piano ges i,' medde Meri, 'hefo Gwen, Pandy Mawr. W't ti'n cofio ni'n mynd i'r parlwr ffrynt, a Gwen yno'n braf a'i thraed i fyny, yn gwrando arnon ni'n plinci-ploncian ein sgêls ac arpegios? Yn doedd ganddi 'fynedd!'

'Dyw, gest ti athrawes dda ac mae o wedi bod yn werth chweil i ti – Pennaeth Cerdd Ysgol y Berwyn, yn dy hen ysgol! Go dda ti! Ishio mynd i'r coleg yn 'Recsam, i ddysgu arlwyo ac ati, oeddwn i, felly doedd Mam ddim yn meddwl y bydde gwersi piano o unrhyw fudd, a falle'i bod hi'n iawn. Does 'ne neb yn y teulu'n gerddorol, beth bynnag.'

'Paid â'u malu nhw! Roeddet ti'n gallu canu'n dda yn y Band o' Hope bob nos Lun yn festri Capel Glanaber! Dech chi'n cofio hynny?'

'Nacdw. I'r Sgoldy Bach roeddwn i'n mynd, felly at Mrs Elisabeth Gerallt Jones yr es i am fy ngwersi piano.'

'Na! Mynd i Garth Gwyn?'

'Ie. Ufflon o brofiad! Cerdded i fyny'r dreif ar flaene nhraed, a thrio peidio gwneud sŵn traed yn y graean.'

'Ar flaene dy draed? Pam?'

'Wel, i fod yn ddistaw, yndê, neu mi fydde'r pedwar o hogie wedi sgrialu yno am y cynta i agor y drws i mi. "Shw-mai! Dewch miwn?" Pen ar dro, a'r ael yn codi.'

Mi chwarddon ni dros y lle, wedi anghofio'n llwyr yr hen gred nad oes neb i chwerthin na chael hwyl yn 'Nhŷ Dduw'.

'Argol fawr! Faswn i'm yn gallu meddwl am chware piano o wybod bod y nhw'u pedwar yn gwrando tu ôl i'r drws!'

'Wel, roedd hi'n dipyn o job! Ond roedden nhw'n cael eu hel allan fel arfer, i gicio pêl o gwmpas yr ardd neu i reidio'u beicie 'nôl a mlaen rhwng y Llan a'r Pandy. Dwi'm yn cofio pam y daeth y gwersi i ben; do'n i ddim yn rhyw andros o gerddorol, mae'n rhaid, felly wnes i ddim dal ati. Biti garw, yndê, neu falle byddwn i wedi bod mewn band hefo D.I. ac Edward. Seren bop y chwedegau!'

Chwerthin dros y lle eto, yn dychmygu'r fath sefyllfa annhebygol. 'Dyddie difyr! Roedd pawb yn cael gwersi piano'r dyddie hynny.'

'Nag oedden, wir, dim ond y rhai breintiedig. A faint o'r rheini sy'n defnyddio'u dawn erbyn hyn, yn cyfeilio mewn capel, ysgol Sul neu steddfod?'

'Wela i dy bwynt di. Ond dyddie hapus, yndê! Pawb yn siarad Cymraeg a phawb yn cael hwyl!'

'Ie, cael pob cyfle i glywed yr iaith a'i siarad hi. Dim mewnfudwyr.'

'Mewnfudwyr? Wel oedd, siŵr. Ti'm yn cofio'r faciwîs yn cyrraedd, ugeinie lawer, yn dyblu nifer yr ysgol?'

'O ie, mi ddysgon nhw siarad Cymraeg mewn un tymor, yn do? Anodd credu, yntydi!'

'Ydi. Ond mi gawson nhw groeso yn ein cartrefi ni, ac wedyn roedden nhw'n gallu gweld a theimlo'u bod nhw, fel ni, yn byw ac yn bod mewn bro Gymraeg. Faint o'n dysgwyr ni sy wedi cael profiad tebyg i hynny, tybed? Neb, mwn. Felly, fedri di mo'u beio nhw am feddwl mai iaith farw, rhyw Ladin o beth, ydi hi.'

'O ie, 'nes i ddim meddwl am hynne. Falle g'na i wahodd y boi drws nesa am baned bore fory,' medde Meri gan dynnu stumie ffugawgrymog.

Chwarddom am ei phen. Yntydi hi'n gês! 'Dyw ie, falle cei di dipyn o hwyl hefo fo!'

'Hwyl? Ie, myn coblyn i, mwy o hwyl 'den ni ishio! Mwy o chwerthin a llai o'r gorohïan yma am dranc yr iaith a dirywiad pob dim ... O hyd, ac o hyd! Mae'n fwrn!'

'Dyw, ti'n bwrw drwyddi 'ŵan.'

'Ydw, dwed? Ond mae'r rhai 'cw sy gen i'n myllio hefo ni.'

'Wel, be sy'n eu corddi nhw?'

'Y goreuro 'ma ar yr oes a fu. A fu! Neb yn eu canmol nhw, dim ond cwyno am safon iaith a ballu!'

'Ie, wel, ond ...'

'Dyma ni'n tin-droi eto, yn yr un hen sgwrs. Myllio fyswn inne 'fyd. Ble mae'r hwyl 'di mynd?'

'Wel, roedden ni'n mwynhau'n hunen yn iawn, tan funud yn ôl! Ond hei, ust, mae'r ail ran ar ddechre rŵan!'

'Excuse me, ladies, eavesdropping on your conversation,' meddai rhyw ddynes reit glên oedd yn eistedd agosa ata i. 'I wish I was as fluent as you in Welsh. I was intrigued by the hilarity when I heard you laughing, such a belly laugh! So happy! I had some Welsh lessons myself for a few years, but then I gave up. What a pity!'

'Yes, what a pity,' medde fi. 'Perhaps you should have persevered for just a few more years? We were just saying that we all wished that we were as fluent and as accomplished as Catrin Finch on the harp.'

'But even she had to start with: "Middle C is on this line. B is this one just next door",' medde fy ffrind gan wenu arni. 'Do you remember that?'

'I see your point,' medde hithe.

Dim ond ar ôl mynd adre y sylweddoles i, yn llawn, be roeddwn wedi'i ddweud. A be ddwedodd hi.

Llaneurgain

Roedd hi ben ac ysgwydd yn dalach na ni. Rhyfeddais mor olau oedd ei chroen. Llygaid o liw'r awyr. Gwallt liw haul. Beichiogai'n dymhorol, megis caseg; gyda'r gwanwyn agorai ei hesgyrn a byddai'r geni'n rhwydd.

Ni chymysgodd â'n cenedl ni, sy'n fyr, yn llydan a phryd tywyll.

Ei thylwyth lluosog fu'n codi muriau a thyrau pigfain i foli mewn iaith ddieithr lle gynt y bu ein llannau ffeirio ni. Lleiafrif ydym ymhlith y cyfrwys rai a ymgartrefodd yn ein plith i'n ffug wareiddio.

Y nhw ydym ni, erbyn hyn.

Llangwm

Does dim yn waeth na gorfod 'sgythru dros y Maes mewn sandale simsan sodle uchel. Wel, oes. Gwisgo blows côr oedd yn fy ffitio llynedd a sgert sy'n sydyn yn cau cau.

Aros ydi'r peth arall. Aros i'r ffermwyr gwargoch gyrraedd. Aros i'r athrawese streslyd orffen cyboli am ryw faterion disgyblu. Aros i'n cyfeilyddes hirymarhous dyrchu i grombil ei sach, didoli, o blith sypie o stwff, ei chas sbectol, ac wedyn dechre chwarae'r darn blincin anodd.

Sefyllian am oesoedd yn oerfel y cefn, bron byrstio ishio pi-pi, i aros am ganlyniad rhagbrawf. Sefyllian yn y cefn eto, os mai dyne'n lwc, am ganlyniad perfformiad. Aros wedyn nes bod ffroth y rhai cynhyrfus wedi'i ddisbyddu.

Aros am unrhyw beth rhag dychwelyd ato fo. Mae'r llofft yn aros.

Llangwyfan

'Next, Mrs O'Gorman. Please remove your upper garments. Let's see now.'

Prin roedd o'n edrych arni. Roedd ganddo bentwr o gleifion o Lerpwl a châi o 'run geiniog yn fwy at ei gyflog am drin y cleifion ychwanegol hyn.

'Breathe in, as deep as you can. Breathe out, as slow as you can.'

Roedd y corn yn dal yn gynnes ar ôl y claf diwethaf gafodd ei archwilio ganddo.

'Yes, I thought so. T.B.,' meddai, heb godi'i ben gan ei fod yn sgriblo'n gyflym yn ei lyfr nodiadau gan feddwl: 'Irish immigrants! Lowest of the low! Why do they send them here, all likely to die?'

'Nurse, take this patient next door for more blood tests.'

'Thank you, Doctor,' meddai Enya.

Roedd rheolwr y ffatri miwnisions lle bu'n gweithio ym Mhenbedw wedi'i hanfon i Sanatoriwm Llangwyfan, taith drofaus hyd lonydd culion, tyllog a gymerodd dros dair awr a hanner yng nghar ambiwlans y ffatri, ac roedd hi bellach mewn gwendid dirfawr ac wedi diffygio'n llwyr.

Doedd y geiriau a glywodd ddim yn sioc, ond er hynny fedrai hi ddim symud cam o ble roedd hi. Teimlodd ddwylo'r nyrs yn ei helpu i roi ei fest o wlân coslyd yn ôl dros ei phen a'i hysgwyddau meinion.

'Come with me,' meddai. 'I'll take you to Trem Clwyd Ward. You will like it there with all the other mamis and their babis bach.'

'Thank you, Nurse,' meddai Enya. Rhedai llif cynnes i lawr ei gruddiau ond ddaeth 'run gair o gŵyn o'i genau.

'Fy mhlant, fy mhlant,' meddyliodd gan rwbio asgwrn ei brest a phesychu'n gras. 'Be ddaw ohonyn nhw mewn cartre plant dan ofal offeiriaid a lleianod Lerpwl?'

O, am gael bod 'nôl yn Gaoth Dobhair, yng nghrud diwylliant a chadarnle'r iaith, yn y Gaeltacht yn Dún na nGall, lle câi fy mhlant fod yng nghwmni Mam, fy unig fam. Paham, paham y'th gadewais?'

Llangywer

Hen blwy fy neinie sy'n annwyl i mi, wrth ddwys ystyried yr enwe nas anrhydeddir ar na cholofn na chofeb o farmor.

Un gaea garw, a dyfroedd dyfnion Tegid yn haene trwchus o iâ, croesai Cadwaladr Jones o gyfeiriad plasty Glan-llyn, lle bu'n danfon llond car llusg o goed tân i'r Sgweier, i gyfeiriad Llangywer. Roedd yr haul yn sgeler fachlud dros gribe'r ddwy Aran gan ddallu dyn ac anifel. Camodd y ferlen oddi ar yr iâ trwchus ar blisgyn o iâ tene a guddiai ffynnon oer y llyn. Gweryrodd yn ei braw ac wrth geisio'i hachub a datod ei harnes llithrodd Dwalad ynte i'r dwfn. Ni welodd undyn nhw byth wedyn.

Pan ddaeth hi'n Glanmai esgorodd Jane ar ei chweched plentyn a'i alw'n Ap. Dim ond Ap, gan nad oedd ganddo dad. Magodd bump o blant dan ddeg oed a phlentyn sugn ar ddaliad o ffridd, gyda chymorth mor hael â phosibl y werin gymdogion a rannodd o'u prinder hefo hi. Prifiodd a ffynnodd pob un o'r plant hynny.

Arhosodd y mab ieuenga adre, yn gefn i'w fam, ond doedd gen ei ddau frawd hŷn ddim dewis. Listio fu raid, a'u calon fel y plwm. Llwyddodd Kate Blodwen, y gyntaf-anedig, i gael gwaith fel cymhorthydd dosbarth yn Ysgol yr Eglwys yn y Bala. Gan ei bod mor wych ei hymroddiad, rhoddwyd tystlythyr iddi a'i symud i ysgol eglwys arall. Ym Mryste. Adeg rhyfel.

Trwy gydol y Rhyfel Mawr hi oedd prifathrawes yr ysgol honno. Gofalodd am y plant drwy holl gyfnod y bomio, gan eu gwarchod mor famol â phosibl trwy ddrychiolaethe dyddiol a thanchwa nosweithie hirion. Aberthodd ei hieuenctid a'i hiechyd i ofalu am bobl druenus a phlant diymgeledd dinas bell.

Dihoenodd a dirywiodd. Anfonwyd hi adre pan ddaeth y diwedd, i noddfa chwiorydd caredig. Ond adferiad ni chafodd.

Yng nghilfan oer y fynwent hon, rwy'n lled amgyffred y cyfnod a fu, cyn i'r tywydd lyfu llythrenne'r enwe hyn yn llwyr o'r maen.

Arwrese anghofiedig o'r oes a fu.

Llyn Cerrig Bach

Roedd y tensiwn yn ofnadwy rhyngom ni. Waeth cyfadde, roedden ni wedi dod i ben ein tennyn – adeg sylweddoli mai saith mlynedd fyddai hyd ein perthynas. Ei syniad o oedd mynd am ein gwyliau olaf yn ein carafán i Ynys Môn.

Gwrthwynebu wnes i: beth sy'n ddiddorol am Ynys Môn? Be sy'n newydd? Be sy'n gynhyrfus, yn gofiadwy am ryw hen ynys fach wastad sy mor swrth â phnawn Sul?

Ar ein ffordd i Roscolyn, i dorri'r daith, gwyro oddi ar yr A55 a galw am baned sydyn yn Oriel Ynys Môn ar gyrion Llangefni, a gweld bod arddangosfa newydd yno, 'Trysorau o'r Oes Haearn'. Trysorau – darganfyddiadau a godwyd o'r gors: addurniadau efydd, harneisi ac olwynion, corn efydd, bariau a pheiriau. Roedd yno hefyd bethau o ochr dywyll bywyd: cleddyfau, picellau a chadwyni i gysylltu gyddfau caethweision â'i gilydd. Dyna'r cyfan a godwyd hyd yn hyn. Ond pwy a ŵyr nad oes trysorau eraill yno, yn gudd a brau wedi'u traflyncu, yng ngholuddion y fawnog?

Ces fy nghyfareddu o gyffwrdd pethau hardd a phethau creulonaf bywyd a fu o'r golwg cyhyd, fel y pethau sy'n anghofiedig ym mwd y meddwl, ac a freuodd i'r isymwybod.

Y noson honno mi fwythodd 'y nghefn i am yn hir, a thoc meddai: 'Wst ti be? Does dim deall arnat ti, a wna i ddim trio dim mwy.'

Bu saib hir, meddylgar, cyn iddo ychwanegu gydag ochenaid: 'Rwyt ti fel Llyn Cerrig Bach.'

Llyn Cerrig Bach? Do'n i ddim 'di sylweddoli hyn. Cyffrois.

Yn araf, troais i'w wynebu.

'Ie. Fel Llyn Cerrig Bach! Rwyt ti'n fy nabod yn dda.'

A dyna'r tro cynta i beth o'r dwfn ddod i'r golwg.

Minffordd

Di-di-dym, di-di-dym, di-di-dym ... rowliodd yr olwynion o orsaf hen borthladd Porthmadog, dros y cob mawreddog, heibio gorsaf ddestlus-flodeuog Minffordd, croesi'r lôn ger y bythynnod sy'n edrych dros Benrhyndeudraeth, heibio caffi gorsaf Tan-y-bwlch a'r ymwelwyr cynhyrfus yno'n clicio'u camerâu, troelli trwy gylchdro awyr y Dduallt a heibio cronfa ddŵr Tanygrisiau nes cyrraedd, o'r diwedd, y Blaenau.

Minnau'n eistedd yn llygaid ac yn glustiau i gyd, ddim ishio i'r daith ddod i ben, fy ffroenau'n llawn o stêm a smytiau glo ar fy sbectol. Roedd hi'n bnawn ysblennydd o Fai, tyfiant gwyrddlas y coedydd ar ei iraidd orau, bwtias yn eu ffrogiau glasbiws yn dawnsio ac ymgrymu fel tylwyth teg i'r teithwyr rhesog; blodau t'ranau, bysedd y cŵn, briallu Mair, botwm crys – roedden nhw yno i gyd yn eu gogoniant tymhorol, byrhoedlog.

Roedd hi'n ddiwrnod mor gyfareddol nes bod dieithriaid llwyr, erbyn iddyn nhw gyrraedd Minffordd, yn clebran â'i gilydd fel hen fêts, gan darfu, ysywaeth, ar swyngyfaredd y cledrau.

'Rydw i newydd ddod adre o wyliau yn Jersey.'

'Mis nesa dwi'n mynd i Ynys Skye.'

'O! Bu fy merch yn gweithio tymor mewn gwesty ar Skye. Ond yn Essex mae fy mab, lle mae ei dad yng nghyfraith yn sobor wael o gancr.'

Sgwrsio, sgwrsio, sgwrsio – siarad am bob man ond lle roeddent, a phob un yn gyfarwydd â thrallod gwaeth na'r llall.

Ffyliaid, meddyliais, yn gwastraffu hyfrydwch eu dydd.

Ymhen yrhawg cyrhaeddais adre, ac yn reddfol, ddifeddwl, gwasgais y botwm bach am y 'Newyddion' mawr – storïau rownd y ril am anffodusion nas adwaenaf a thrallodion mewn mannau na wn ddim, wir, amdanynt.

Di-dym, di-dym, di-dym ... a dim ar ôl o swyn fy nydd.

Moel Arthur

O'i hôl, clywodd leisiau geirwon: 'Fi pia hi! Fi pia hi!'

Cip sydyn dros ei hysgwydd a gwelodd sawl llanc cyhyrog yn cythru'n nes ati. Milwyr. Ei thro hi oedd cyflwyno'r offrwm o fara a medd, ar ran ei theulu, i warchodwyr y fryngaer.

'Atolwg, yf dithau beth,' fe'i cymhellwyd.

Plygu'i phen a wnaeth mewn ofn, mewn swildod, mewn cywilydd pan sylwodd fod y dynion yn syllu ar noethni ei choesau ifanc. Roedd hi'n dal o'i hoed, ac roedd ei gwregys wedi breuo ac yn llawn rhwygiadau.

'Rwyt ti'n lodes dlos. Pa enw a roed arnat?'

Atebodd hi ddim. Roedd wedi'i pharlysu gan ofn. Camodd un tuag ati a theimlodd arswyd yn ffrydio trwy fêr ei hesgyrn. Trodd ar ei sawdl ac ar wib sbonciodd o dwmpath i dwmpath i lawr ochr y Foel mor osgeiddig a sicr ei throed ag ewig o'r ucheldir.

Ym mhen dim roedd o'u golwg, ond yn sgriffiadau llosg ac wedi colli'i gwynt.

Wyddai hi ddim fod llygaid wedi gwylio'r cyfan o waelod y Foel. Fe'i baglodd a'i thaflu'n lletchwith i'r rhedyn.

Wrth grwydro hen, hen lwybrau fel hyn, nid ffansi yw dychmygu bod, yng nghysgod pob caer neu warchaele, waradwydd cyntefig.

Moelfre

Pum darlith ychwanegol i'w paratoi ar gyfer y semester cyfredol ac roedd angen cyflwyno rhai o'r materion mwyaf cymhleth i fyfyrwyr gradd, cyffredin eu gallu. Roedd wedi bod wrthi'n darllen pentyrrau di-ben-draw o erthyglau gwyddonol am yr ymchwil gyfredol: sut i ymateb i'r dystiolaeth frawychus a gasglwyd gan 'Chwilfrydedd', robot NASA, am fywyd darfodedig y blaned Mawrth? A yw monoddiwylliant wedi llwyr dagu rhai rhywogaethau? O'r tri biliwn pâr sylfaenol o DNA sy'n llunio'r genom dynol, ai jync ynteu hanfod yw'r rhain? Beth fydd canlyniad pellgyrhaeddol cyflyru genom rhai genynnau dynol? Pa ddatblygiad chwyldroadol sydd i ddilyn darganfod gronyn/boson Peter Higgs?

Yn ôl ac ymlaen y pendiliai'r meddyliau ar drywydd pynciau gwyddonol amhendant a'u hansicrwydd creiddiol. Yn ôl a 'mlaen, yn ôl a 'mlaen y troediodd ger Bae Llugwy, heb sylwi ar ddim, yn cnoi cil ar y llyfrau a'r erthyglau diweddara a ddarllenodd, nes canfod ei hun ger mynwent.

Safodd i ddarllen geiriau ar gofeb.

Eisteddodd ar erchwyn beddrod, a dechrau sgriblo ar gefn swp o dalebau bwyd a phetrol oedd yn bochio poced ei jîns:

Cario aur ar y *Royal Charter*
Cario glo i lofa Gresffordd
Cario mwd i bwll clai Bwcle

Cario tywod i Dubai
Cario bwyd i lygod India
Cario dŵr i afon Yangtze.

Oferaf oll? Cario gofid.

Chwarddodd am ei phen ei hun ac aeth adre i yfed te.

Nant y Benglog

Roedd hi wedi ymgolli yn y creu, yn eu torri allan yn ofalus a'u trefnu'n batrwm hirsgwar ar fwrdd masarn y gegin. Taflai'r lamp olew ger ei phenelin wawl gynnes dros ei phlethen o wallt golau gan greu cysgod ansefydlog ar y pared llaith tu cefn iddi.

'Be goblyn wyt ti'n neud, ddynes?' holodd llais cras dros ei hysgwydd.

Neidiodd Catrin yn nerfus. Taflodd gipolwg i gyfeiriad y cloc taro. Bobl bach, yn sydyn iawn roedd hi'n bryd hwylio swper, ond doedd dim golwg am swper ar y bwrdd.

'Dwi'n cyfri sgwarie,' meddai gan godi'n drwsgl a chroesi at y pentan i roi proc i'r tân.

'Wneith potes y tro?' holodd.

'Potes? Potes, ddynes? Potes ar ôl bod allan, a hithe'n tresio cenllysg, yn achub defed?'

Trodd i edrych arno, ei phriod ers pum mlynedd, a llanwodd ei chalon â thosturi. 'Rwyt ti'n edrych wedi ymlâdd,' meddai. 'Gest ti golledion?'

'Do,' atebodd a disgyn yn swp digalon a rhynllyd i'r gadair freichiau dderw wrth y grât ddu lle roedd talpiau o bren a glo'n groesawus goch.

'Do. Tair ar ddeg.'

Bu'n flwyddyn drychinebus. Bu'n drybeilig o oer drwy'r gwanwyn; niwl a chaddug pryd y dylsid bod wedi didoli'r ddiadell, a chawodydd trymion drwy'r haf. I'r domen yr aeth gwair y dolydd, a'r sgubau ŷd i'w ganlyn yn yr hydref. Roedd hyd yn oed y cynhaeaf tatws yn siomedig, pryfyn a gwlybaniaeth wedi'i bydru.

'Tro'r weierles ymlaen wrth ei phasio,' archodd yn flinedig gan ddiosg sgidiau hoelion a sanau gwlân oedd yn domen wlyb.

'Mae hi'n saith o'r gloch a dyma'r newyddion. Heddiw bu'r Senedd yn trafod dogni bwyd a phenderfynwyd, er bod y rhyfel drosodd ers dwy flynedd, y bydd raid cadw at ddogni bwyd am rai blynyddoedd i ddod.

Y tywydd: neithiwr, yng Nghapel Curig roedd hi'n ddwy radd ar bymtheg o dan y rhewbwynt. Heno, bydd mwy o eira a bydd hi'n lluwchio ar dir uchel. Ni ragwelir unrhyw newid yn y tywydd am yr wythnosau nesa.'

'Diffodd y weierles yne, wir-dduw, neu mi fydd y batris yn fflat,' meddai'n biwis gan geisio cynhesu'i ddwylo a'i draed yr un pryd o flaen bariau'r tân. Roedd oglau sanau gwlyb, twym yn llenwi'r gegin.

Huliodd Catrin swper. Torrodd dafellau trwchus o fara sych yn giwbiau gwynion a'u rhoi ar waelod bowlenni Delft rhesi glas; ychwanegodd lond llwy fwrdd o ddripin brown o waelod y tun rhostio a chlap o fenyn hallt o'r pot menyn cadw i'r fowlen; yna tywalltodd ddŵr berwedig o big tegell haearn trwm a grogai ar fachyn dan y simdde, i'w fwydo.

Ond roedd o'n fwyd poeth, maethlon; potes â llygad iddo.

'A be wyt ti am neud hefo dy sgwarie?' holodd. Roedd y stêm o'r bowlenni ac oglau'r potes bara'n dechrau dadmer ei dymer flin.

'Wel, rydw i wedi bod trwy'r bag rags ac mae gen i ddigon o ddarne i wneud cwilt bychan.'

'Bychan?' holodd yn amheus.

'Ie,' meddai, gan edrych i lawr yn swil ar ei brat, ''den ni'n mynd i gael chwaneg o deulu.'

'Chwaneg o deulu! Gwarchod y byd!' Crynodd ei ddwylo a disgynnodd ei lwy botes yn glep ar fasarn y bwrdd. 'Sut ar wyneb daear y mae dyn i lenwi mwy o foliau pan fo'r wlad ar lwgu?'

Clywodd y siffrydiad lleiaf o gyfeiriad y grisiau. Edrychodd i fyny. Yno'n eistedd yng nghysgod y gris uchaf, eu crysau nos wedi'u tynnu'n llaes i gadw bodiau'u traed yn gynnes, roedd dau ben bach melyn a llygaid mawr dwys, yn sbio arno.

Penmachno

Bob dydd, bu wrthi'n gwehyddu ei liw a'i bwyth i'r garthen gain.

Tenor y bryniau'n consurio lliw – melyn y machlud, oren y wawr, coch yr aeron a'r gwynion ddrain – yn lliwio'i wlân â'i ddelweddau teg, linell wrth linell, bwyth wrth bwyth; gwennol y gwehydd yn mydryddu'n goeth ddillad i'r Sul a dillad gwaith, deunydd o safon, crefft a pharhad.

Richie Thomas a'i dapestri lais.

Penmaen-mawr

Tu blaen i mi – tonnau desbrad yn archolli'r gair MAM ar dri bys fy llaw chwith.

Tu ôl i mi – ithfaen y pen a cheudod yn ei 'mennydd.

Trwydda i – bu'r driliau'n twrio, twrio.

Rhyw le fatha hwn, ydw i.

* *Darlledwyd profiad y gŵr ifanc o'i gamdriniaeth ar* Y Byd ar Bedwar, *20/11/2012.*

Pentre Bychan

Llinell hiraethus tu hwnt i'w chlyw: 'Mi glywaf dyner lais ...'

Does neb a ŵyr i'r ymadawedig dreulio'i hoes yn dyheu am yr hyn nas cafodd gan ei gŵr dros y deugain mlynedd drycinog y bu'n dyfal dendio drosto. Minnau'n cyd-ddioddef cymhlethdodau eu priodas friw.

Cynulleidfa'n canu'r geiriau mor dyner ac mor swynol ag sy modd wrth wylio'i harch yn llithro'n llyfn i arffed gynnes tragwyddoldeb.

'Mae'n ddrwg gen i, i chi golli'ch mam.' Geiriau gan y rhai fu ddieithr.

Minnau'n ddiddagrau a dieiriau mewn profedigaeth bellandwyol sy'n parhau.

* *Ym Mhentre Bychan mae unig amlosgfa gogledd-ddwyrain Cymru.*

Prestatyn

Bore 'ma mi biciais i weld fy nghyfeilles sy'n nofio'n wythnosol hefo fi yng Nghanolfan y Nova.

'Dyma fefus cynta'r gwanwyn o fy ngardd,' meddwn, gan deimlo dipyn bach yn falch ohonof fy hun. Roedden nhw'n goch fel gwefusau, yn llawn sudd fel bronnau'r ferch hon a fagodd ddwywaith.

'Mi wnawn nhw les i ti,' meddwn, gan wenu.

Ond wyddwn i ddim. Amheues i ddim fod pethau mor ddrwg, nes iddi ofyn: 'Hoffet ti gael fy mag nofio pinc i? Dyma fo i ti.' Roedd y bag yn agored ar y soffa yn ei hymyl. 'Dwi wedi rhoi fy ngwisg nofio, y gogls a'r cap pinc yn y bag hefyd.'

Pinc ydi ei hoff liw a chofiaf gymaint o bethau pinc sydd ganddi, yn ddilladach a mwclis – pinc, lliw benywaidd, lliw merch ifanc.

Llithrodd fy llygaid yn anorfod at felyndra'i chroen. Melyn oer, gwanllyd fel a welir wedi i'r haul ar ei gryfaf roi sioe ruddgoch, ryfeddol i ni, cyn machlud yn nos hir, dywyll.

Hoffwn i? Hoffwn i eu cael nhw?

Rhiw

Byddai'n arfer yfed ei choffi yn eistedd ar fainc ger pwll dŵr ei gardd lle gallai fwynhau ychydig ar wres haul y bore.

Ond heddiw, daliodd ei llygad y symudiad lleiaf ymhlith llydanddail lili'r dŵr. Cododd a nesu at y pwll, ac o graffu canfu gyw aderyn, newydd esgor o'i blisgyn, yn crynu'n ddi-blu nes ei fod bron â chwympo oddi ar silff y pwll i'w ddyfnder diobaith.

Plygodd yn ei chwman i'w archwilio'n ofalus. Cyw brân, ychydig o fanblu ar yr adenydd, ei gorff bolgrwn yn dryloyw a'i gwt yn goch. Crynu roedd o, ei lygaid ynghau, bron, bron â thrigo.

Ar hap daeth yr haul allan, felly casglodd hi'r cyw yn dyner yng nghwpan ei dwylo a'i gludo i'r llecyn cynhesaf ymhlith blodau'r ardd. Toc fe'i clywodd o'n gwichian, yn egwan. Roedd y gwres wedi'i adfer. Ger y pentwr compost casglodd dri phryf genwair tenau, a phan agorodd y cyw ei big mawr, melyn i gardota, gollyngodd bryf cyrliog i'w lwnc. 'Rôl bwyta tri, distawodd y cyw, yn fodlon. Ymhen tuag ugain munud roedd yn galw'n gryf am ei fam i'w fwydo. Unwaith eto, yng nghwpan ei dwylo, cariodd y cyw tryloyw i gysgodi mewn llwyn trwchus, rhag yr haul. A rhag ysglyfaethwyr.

Am ddiwrnod neu ddau bu'r cyw'n byw yng nghysgod y llwyn. Roedd wedi gwneud baw gwyn, felly roedd hi'n amlwg bod ei fam yn ei fwydo. Er mai dim ond cyw brân oedd o a'u bod yn bla, medd ffermwyr, roedd hi'n teimlo gwir lawenydd a balchder o achub sgrapyn o fywyd.

Y noson honno, ysywaeth, daeth galwad i dorri'r garw, bod ei hwyres gynamserol wedi trigo mewn ambiwlans cyn cyrraedd at gymorth brys yn Ysbyty Arrowe Park, ym mhen pella Penbedw.

Rhosllannerchrugog

'Oh my god, that's gross! He's a saddo!'

Saib, a'r llais ym mhen arall y ffôn lôn yn parablu'n garlamus.

'Aaaaah! That's mega gross! It's doin' me head in!'

Saib arall i wrando ar lais merch ifanc gynhyrfus yn paldaruo yn y cefndir.

'Sorry, matess. I'm freaked out! Sick. Bye.'

Edrychodd Stella ar Melys, ei merch. Be uffen oedd nene?

'Be sy'n bod, cyw?' holodd yn gegrwth gan droi i edrych ym myw llygaid Melys. 'Be gythgam sy'n hapno?'

'Asu, Mam, ti'm ishio gwbod am bethe fel ene. Hen glonc gachu, Mam. Mae o'n *really, really* ... o, ti'n gwbod, ych a fi, yn Gymraeg. Gwell i ti beidio gwbod achos wnei di ddim ond mwydro dy ben dros rhwfun ti'm yn 'i nabod. Dwi'n mynd i newid o'r blydi gwisg ysgol 'ma, a dwi'n *pissed off* hefo'r holl arholiade.'

Brysiodd Melys i fyny'r grisiau a chau drws ei llofft hefo clep. Ymhen ychydig roedd sŵn dŵr yn rhedeg yn y gawod a sŵn y sychwr gwallt yn chwyrnu'n wyllt.

Fel roedd hi'n digwydd, doedd Stella ddim wedi gweithio shifft y pnawn hwnnw, felly roedd wedi paratoi pastai'r bugail, tatws, grefi a charaits erbyn i Melys gyrraedd adre oddi ar y bws deulawr a'i cludai o Ysgol Morgan Llwyd.

'Reit, mei ledi,' meddyliodd, 'mi geith Melys ginio poeth ac mi ga' inne'r stori.'

Roedd wedi llwytho platied lliwgar o ginio sawrus erbyn i'w merch ddod lawr steirie a golwg mynd lawr stryt arni, gwaelod ei chlos yn cluro'n rhidins llwyr hyd llawr.

'Ew, Mam, hogle da! Dwi ar glemio. Oes gen ti Branston i fynd ar ei dop?'

Gwenodd ei mam wrth chwilio yn y cwpwrdd am y botel sos gan fod oglau'r bwyd poeth wedi maglu ei merch. Fel arfer, dod adre i dŷ gwag wnâi Melys, berwi tegell i boethi Pot Noodle neu byddai'n sbrotian yn y rhewgell cyn stwffio rhywbeth-rywbeth i'r popty ping.

'O'n i'n meddwl 'wrach baset ti'n leicio tamed cynnes,' meddai gan bwyntio at fwrdd y gegin. 'Byta, cyn i ti fynd allan i'r hin. Am haf bawedd 'den ni'n ga'l 'leni. Mae hi 'di glowio a glowio bob dydd ac mae hi bron digon oer i odi! Dwi jysd â fferru.'

Ar ôl platied llawn i'r ymylon o'i hoff ginio roedd hwylie Melys wedi gwella. Yn fola fodlon aeth i orweddian ar soffa'r parlwr ffrynt i fflicio trwy raglenni teledu'r noson honno a phwyso'r botwm recordio yn gyson.

'Paned, cyw?'

'Ie plis, Mam. Dwi jysd â gole.'

Gwenodd Stella eto. Un da ydi'r sos Branston am greu syched. Aeth i eistedd yn ymyl ei merch i aros i decellaid mawr o ddŵr oer ddod i'r berw. Roedd honno'n bodio fel diawl ar ei ffôn lôn ac yn rhegi bob yn ail air wrth fethu bodio'n ddigon cyflym.

'Oh God! Stress, Mam!'

'Duwcs, cymer baned, cyw. 'Di'r byd 'ma ddim ar drengi, ydyw?'

'Ydi, ma' fo, Mam. Rydyn ni'n trafod y peth yn y gwersi Daearyddiaeth trwy'r amser. Achos llygredd, cemegolion a phlastigion yn y cefnforoedd a'r effaith tŷ gwydr mae'r hinsawdd wedi newid. Ac nid rhwbeth tros dro ydi hyn, nid rhwbeth drwg fel rhyfel sy'n gallu darnio gwledydd yn dipie, nes cânt eu trwsio, ond rhwbeth sy'n cyflymu a chyflymu ac yn niweidiol tu hwnt i'n gallu ni i ddygymod ag o neu i'w oroesi. Goroesi ydi'r gair mawr i'n rhywogaeth ni, Mam. Mewn cneuen, i tua hanner poblogaeth y byd mae'r newid hinsawdd yn golygu dim ffyniant llysieuol, dim cadwyn fwyd i famaliaid, dim i'n rhywogaeth ni i fyw arno. Ti'n gweld?'

'Yyyyyy?'

Roedd Stella allan o'i dyfnder a dechreuodd feddwl. Yn Sasneg y cafodd ei haddysg nes gadel y Grango'n bymtheg i fynd i weithio i ffatri gemegion Monsanto, Rhiwabon. Flexsys oedd bia'r lle wedi hynny ond mae hwnnw hefyd wedi cau erbyn hyn. Barn rhieni Stella oedd y bu hi'n sobor o lwcus i gael joben mor handi jysd lawr stryt. Roedd hi'n gwbod mai gneud cemegion o ryw fath roedd y ffatri ond doedd neb 'di marw neu 'di cael anaf 'rôl gweithio yno, yn wahanol i fêts ei thad fu'n slafio ym mhwll glo'r Hafod. Roedd digon o gyfle yn 'rardal 'radeg hynny i bobl ffeindio jobsys – efo Air Products Nano Materials, Acre-fair, neu yng ngwaith briciau Dennis Rhiwabon, ond mae'r cyfan wedi'i ddirwyn i ben bellach; dim ond chydig o deiliau llawr a ddaw o'r olaf o byllau clai enwog Cymru.

Pendronodd. Roedd wedi anfon ei merch i Ysgol I. D. Hooson yn y Rhos ac wedyn i Ysgol Morgan Llwyd yn Wrecsam. Roedd ei merch wedi gwneud yn go lew yn ei harholiadau TGAU ac wedi aros ymlaen yno i wneud Lefel A mewn Daearyddiaeth, Bywydeg a Drama.

Roedd Stella yn fodlon derbyn unrhyw shifft a gâi er mwyn cadw'i merch yn yr ysgol, talu am ei holl ddillad a sgidiau ffasiynol, steiliau gwallt drudfawr bob chwe wythnos a'r ffôn lôn 'ma sy'n llyncu pres fel siafft diwaelod. Edrychodd ar Melys, ei gweld mor dlws – ei gwallt yn gyrlenni browngoch, trwchus at ei hysgwyddau, yn ogleuo o sebon drudfawr. Llenwodd o gariad tuag ati a meddyliodd fod popeth yn werth yr ymdrech, ei bod hi'n werth pob dime.

Yna, ailedrychodd ar Melys a gweld ei gweithgaredd gorffwyll yn bodio, bodio, bodio. Tybed ydi o wir yn werth o, petrusodd?

Doedd Melys yn siarad 'run gair o Gymraeg hefo neb ond ei mam. Mentrai holi weithiau, pan fyddai hwylie go lew yn digwydd bod ar ei merch, pam na siaradai air o Gymraeg hefo'i ffrindie bore oes oedd wedi cael yr holl addysg Gymraeg.

'Stress, Mam. Stress!'

Dyna'r ateb byr ond pendant bob tro.

'Dy'n ni'n ca'l Cymraeg, Cymraeg, Cymraeg trwy'r dydd. Pob pwnc yn Gymraeg. Llwyth a llwyth a llwyth o dermau yn Gymraeg. Dy'n ni'n gneud deuddeg pwnc TGAU, wedyn tri phwnc Lefel A ac maen nhw'n uffernol o anodd, ti'n gwbod. Poen! Poen! Poen! Sut faset ti'n leicio dysgu llwyth a llwyth a llwyth o dermau technegol a mwy a mwy a mwy o eirie newydd bob blydi gwers, bob dydd, bob tymor, bob blydi blwyddyn. Dy'n ni'n *exhausted*, Mam. Gaethon ni arholiad tair awr heddiw bore, ac un arall yn pnawn. Dau arholiad tair awr! Mewn un d'wrnod! O'n i bron ffaelu sgwennu erbyn diwedd. O'n i 'di bygro'n lân. Felly pan 'den ni'm mewn gwers 'den ni ishio *chill out*, siŵr-dduw. Mam, 'den ni'n hollol *exhausted*! Be ydi *knackered* yn Gymraeg, Mam?

'A chefn, wyt ti'n nabod unrhyw un sy 'di cael job i ddefnyddio'r blydi termau technegol 'ma? Unrhyw un, Mam? Dwi'n gwbod am Stephen Parry, yr unig un dwi'n meddwl, sy 'di cael joben yn swyddfa'r Cyngor. Ac wst ti be? Pan a'mi ofyn iddo sut job ydi hi, er ei fod o'n gallu siarad a sgwennu Cymraeg, does 'ne neb wedi gofyn iddo wneud dim, dim uffen o ddim, yn Gymraeg! Popeth yn cael 'i gyfieithu! Mae o 'di anghofio'i Gymraeg 'rôl gweithio ene, medd o. Does yne'r un cyflogwr arall yn y sir, neu yn yr oll o Gymru, am wn i, hyd yn oed yn dweud "Welsh desirable". Felly be 'di'r pwynt, Mam?'

Aeth wyneb Stella'n welw wrth wrando truth ei merch.

'W't ti'n meddwl bod y rhai sy'n cael addysg Gymraeg rŵan yn mynd i roi eu plant nhw trwy'r holl blydi *stress* yma? Get real,

Mam! Gyda llaw be ydi "exhausted" yn Gymraeg? Wedi llwyr ymlâdd, ie? Wel, pwy ffwc sy'n mynd i ddeud nene? Siarad fel blydi gwerslyfr, ie? 'Den ni'm yn dysgu'r terme iawn yn 'rysgol. Does neb yn gwbod sut i regi'n Gymraeg, er enghraifft. Dy'n ni ddim yn cael rhegi.'

'Wel nac dych siawns, neu hws din ddylech ei gael bob un.'

''Den ni'm yn ca'l siarad slang chwaith – tafodieth oedd y gair posh am hynny erstalwm. 'Den ni'm yn siarad iaith y stryt achos does neb 'di dysgu iaith stryt i ni'n Gymraeg. Be 'di'r Gymraeg am ein geirie bob dydd ni, Mam?'

'Geirie bob dydd? Fel be?'

'Geirfa pobl ifanc, Mam, pethe fel *chav*, *freak*, *nerd*, *weirdo* neu hyd yn oed blydi Crimbo? Mam, dwi'n deud wrthat ti, 'den ni'm yn dysgu'r terme iawn yn 'rysgol. 'Di o ddim yn real. Mae'r rheini sy'n gneud Lefel A Cymraeg ail iaith yn swnio fel tasen nhw'n siarad blydi Cyfieitheg. Maen nhw'n meddwl am rwbeth cŵl i ddweud a ma' nhw'n ffaelu. Felly, i gael *street cred* a thipyn bach o *laugh*, ti'n gorfod *chill out* lle ti'n gyfforddus heb swnio fel blydi *geek*.'

Draeniodd y lliw o wyneb Stella a theimlodd fel tase mul wedi rhoi cic iddi yn ei stumog. Prin roedd hi'n gallu cerdded i'r gegin i wneud y baned ddisgwyliedig. Drylliwyd ei breuddwydion. Yn rhacs. Ochneidiodd yn ddwfn a llyncodd dair tabled i ladd ei chur pen. Dychwelodd yn teimlo fel cadach llestri, yn cario mŵg llawn stêm ym mhob llaw a thunied o fisgedi dan ei chesail.

'Wel dyw, cariad bach, ro'n i 'di gobeithio y byddech chi i gyd yn siarad Cymraeg ardderchog, Cymraeg perffeth. Ddim fatha fi, hanner yn hanner. 'Di Nghymraeg i 'rioed 'di bod yn ddigon da. Ro'dd pobl 'Recsam a Choed-po'th yn ein gwatwar ni'n siarad Cymraeg Rhos esdalwm. Dyne pam 'den ni'm yn 'i siarad o 'ŵan. Ro'n i 'di meddwl y byddech chi'r plant yn ei morio hi mewn llond pen o Gymraeg go deidi. Ac mi faswn i'n licio hel breuddwyd y basech chi'n priodi'ch gilydd ac wedyn yn magu tyaid o blantos a'r Gymraeg yn iaith yr aelwyd.'

'Uffen, Mam! Dwi'n trio deud wrthat ti, *get real*. Pwy ti'n nabod sy'n priodi'r dyddie yma? Does yne ddim jobie i gael, dim byd parhaol. Sadwrn dwetha a'mi fynd i ddryched yn Jobshop 'Recsam be sy i gael. *Part time*, *temporary* ydi popeth dwi wedi'i weld, a dwi 'di dryched ene aml dro. Pwy sy'n medru fforddio talu rhent, heb sôn am feddwl prynu? Mae'r rhenti ddwywaith pris morgais, Mam, felly mae pawb dwi'n nabod yn dal i fyw adre, yn eu hen lofft fach, hefo'u tedis! Dwi'm yn nabod neb sy'n canlyn hyd yn oed. Pwy sy'n medru setlo i lawr? A sôn am gael plant, Mam, anghofia hi. Does neb call ishio plant. *Stress*, *stress*, *stress*, ac wedyn be? Mwy o *stress*!'

'Wel be am fynd i'r coleg, 'te?'

'*No way*, Mam. Dwi'm am fynd i Brifysgol Glyndŵr. Does 'ne 'run cwrs dwi'n ei ffansïo ac yn sicr 'run cwrs drwy gyfrwng y Gymraeg yno. A sut fase rhwfun fel fi'n gallu fforddio gadel cartre i fynd i goleg rhwle arall am dair blynedd jysd i gael tystysgrif grand i ddweud mod i'n gallu darllen a sgwennu, ac wedyn blwyddyn neu ddwy wedi hynny rhwle arall i ddysgu gneud rhwbeth gan obeithio cael prentishieth? Na. Dwi 'di bod yn edrych am fysys i Gaer ac i 'Soswallt.'

'Bysys? Wel, oes yne fysys o'r Rhos? Fase'm yn well i ti gael car?'

'Car? Mam, ti'n siarad fel het eto! Ti'n lwcus os cei di bedair gwers am ganpunt. A sawl gwers fyswn i ei hangen? Dros ugen, o leia. Wedyn gneud y ddau brawf ene. Does neb yn pasio ar y tro cynta eniwe, a llawer yn goffod aildrio'r prawf papur hefyd. Wedyn, shiwrans. Shiwrans i bobl ifinc. Ti 'di meddwl am nene? Dwi 'di Gwglo'r peth ac mae o rwle rhwng dwy a thair mil o bunnoedd! Y flwyddyn! I gar neis, smart a chrand, fel dwi'n ei ffansïo,' a throdd yn ffals-gariadus i wynebu ei mam.

'O ie, o ie, mi wela i be ti'n feddwl rŵan. Wel, oes yne fysys, 'te?' brysiodd hithau i newid y pwnc.

'Dim byd cyfleus i fynd i'r gwaith. Mae pob siwrne'n cymryd orie. Ac mi fydde hanner 'y nghyflog i'n mynd i dalu'r tocyn. Falle mai'r unig ateb ydi beic.'

'Wel, be wnei di tase hi'n odi? Tishio mi ddryched am job lle dwi'n gweithio, yn Sutures Medical Supplies? Neu be am Brother Concept Engineering ym Mharc Busnes Vauxhall, Rhiwabon? Dwi'n meddwl bod 'ne rei cwmnïe bwchin erill ene 'fyd. Neu mae cwmni Sharp o Japan ar stad ddiwydiannol Llai yn gneud pobdai microdon a phaneli solar, er maen nhw 'di mynd o fil i drichant rŵan, a rhwfun yn wyndro ... Neu be am Hoya Lens, ar stad ddiwydiannol 'Recsam? Falle caet ti joben go lew mewn ffatri fowr fel'ny, falle cyfle am bromoshiwn a gweld y byd?'

'Hoya Lens? Mam, mi ddaru nhw ddiswyddo cant chwe deg llynedd, sef hanner eu gweithlu, 'rôl colli contract Boots. A dwyt ti ddim yn cofio helynt Monsanto a Flexsys? Cwmnïe mawr rhyngwladol? Bygwth cau. Gofyn i'w gweithwyr ydyn nhw ishio symud hefo nhw i wlad Pwyl neu i Fwlgaria? Bwlgaria? Ble ffwc mae fanno? Mae Bwlgaria yn yr EU, Mam, felly os ti'n gwrthod, wel ta-ta ti, dim pres diswyddo, achos mae 'ne joben i ti ym Mwlgaria!'

'Melys! A'mi 'rioed glwed rotshwn areth ar ferch! Hws iawn gei di!'

'Sorri, Mam, ond hen dric 'di nene. Pawb yn gweithio am y pres isa posib, pawb yn ofni am eu swydd, pawb yn cwyno am y Pwylied.'

'Wel, dwi ddim. Mae yne ryw chwech yn gweithio efo fi. Pobl ifanc neis. Neis iawn, fatha ti.'

'Mae yne rywle rhwng tair a phum mil ohonyn nhw yn ardal 'Recsam. Maen nhw'n meddwl bod ryw chwephunt yr awr yn ffantastig ac os medr wyth neu ddeg rannu tŷ mae popeth yn grêt, yntydi? Antur ydi o iddyn nhw, debyg i'r bobl ifanc hynny oedd yn arfer mynd i fac-pacio yn Osdrelia esdalwm. Dwi 'di meddwl am hynny 'fyd ond maen nhw ishio i ti gael dwy fil yn y banc cyn y cei di fisa deuddeg mis rŵan. Gyda llaw, praint o gyflog maen nhw'n dalu i ti yn Sutures Medical Supplies?'

'Wel, dwi'n cael *seven fifty* yr awr, achos dwi 'di bod ene flynydde a dwi'n dallt y drefn yn o lew. Dwi'n manijio'r bobl ifinc sy'n dechre gweithio ene.'

'Saith bunt a hanner? Jysd abowt digon i dalu am ddwy baned o goffi, un i ti ac un i fi, a falle, dim ond falle, basen ni'n gallu fforddio un *cookie* bach yn Starbucks, i'w rannu! Ond fel rhywun sydd ddim cweit yn ddeunaw, rhyw bumpunt yr awr fydda i'n gael! Sut mae byw ar hynny? Long live slavery and unequality!'

'Melys!!' Argol, dydi pobl ifanc ddim mor llyweth ag y buon nhw, sylweddolodd ei mam, a geirie protest a chwyldro yn cyniwair yn ei cho'.

Tra oedd hi'n traethu roedd Melys yn gwglo, twitio, bodio, bodio bodio – yn siarad hefo rhywun neu rywrai yn rhywle. Rhy brysur i yfed ei phaned hyd yn oed. Yfodd Stella ei phaned hi a bwyta nifer o fisgedi cysur gan fod prysurdeb manic ei merch yn gwneud iddi deimlo 'di lardio o wneud dim ond ei gwylio.

'Fuest ti'n andros o lwcus nad oedd gan Dodo Rhos ddim plant i ti gael y tŷ yma, ti'n gwbod. Ti'n meddwl y ca' i rywbeth ar ôl Nain Cefn? Dyne f'unig obeth i fyw yn 'rardal yma. Ond os bydd hi fyw yn hen, bydd raid iddi werthu'i thŷ i dalu crocbris am stafell mewn cartre henoed a rhwfun i roi sip o de a thafell fach o dost iddi'n y bore. Mae hynny'n costio tua tri deg mil y flwyddyn, wst ti. Felly ta-ta i f'etifeddieth!'

Yn sydyn, hefo ping, derbyniodd Melys neges destun, yr un y bu hi'n aros amdani. 'Eniwe, dwi'n mynd allan rŵan am dipyn o sgows. Ddo' i'n dôl i wylio *Pobol y Cwm* hefo ti os lici di. Dwi ishio gwbod be mae'r *loony* a'r *dick-head* 'ne'n mynd i neud nesa. Dwi'n recordio Corrie ac *Eastenders* 'fyd. Rhaid i fi weld rheini achos dyne ma' pawb yn drafod yn 'rysgol ac mae 'ne rwbeth *exciting* i fod i hapno heno. A phaid â chanslo'r *documentaries* yne ar Al Jazeera. Diolch am y te, Mam. Rwyt ti'n haeddu deg A. Na, deuddeg A serennog! Wir! Dwi ddim yn *stress* i ti, nacdw?'

Rhoddodd sws sydyn ar foch ei mam a fflach o wên. Neidiodd ar ei thraed ar hast gwyllt ac allan â hi.

Diflannodd.

Rhuthun

Deugain punt yr awr oedd y pris pan fu farw'i wraig ond rŵan roedden nhw'n codi cant a deugain yn siop gwerthu siarad Arwyn Llywelyn-Jones!

Mae'r blydi twrneiod 'ma'n pluo pobl, dolefodd wrtho'i hun. Piti imi aros cyhyd. Roedd, wrth natur, wedi ceisio stwytho'r pris, ond 'dyw angau byth yn llacio'i afael. Chwe deg munud, dim hwy. Paid â gwastraffu, clywodd ei gyndeidiau yn ei glustiau. Hoeliodd ei lygaid ar fys cloc y swyddfa.

Roedd melfaréd ei drywsus yn suo wrth iddo groesi a datgroesi'i goesau'n ddiamynedd. Byddai cnau'r côr yn rheitiach peth i'w wneud na segura yn y dre.

'Hoffech chi baned o goffi a bisgedi wrth aros?' holodd llais addysg ddrud o gysgod ei gyfrifiadur gan sbio'n ddirmygus ar bâr o sgidiau mart treuliedig.

'Duw, ie, a llwyed fawr o siwgr, plis,' nodiodd i'w gyfeiriad.

Mi arbedith ryw bunten neu ddwy yn y caffi, clywodd ei hun yn cyfri'i bres. Disgownt dime!

O wel, rhaid cael ewyllys, decini, gan fod yne dair fferm a'r meibion 'cw'n tynnu 'mlaen, un heb briodi, a hogan bropor yn fancw fyddai'n gneud croesiad da, rhedodd ei feddyliau'n un.

Y tri'n swnio arna i i 'seinio' ond dim un yn cynnig talu, was bach. Drachtiodd y baned ar ei dalcen, ac yn araf reddfol, llyfodd flaen ei fys i glirio'r briwsion olaf o'r plât.

---

*   cnau'r côr = glanhau'r beudy

Rhyd-ddu

Aros i'r gwlith godi roedd o. Roedd cwmwl fel cnuf wedi'i lapio'n grwn am Glogwyn y Barcud. Dyma hi – yr ail wythnos o Orffennaf, y gwlân yn codi ar gefnau'r 'mogiaid a'r awel yn gynnes – amser cneifio.

Yntau'n gwylio symudiadau bach y byd, beunydd wrth ei orchwyl, beunos wrth ei bwys. Ni threiglodd ddiwrnod na wyliodd yr wybren cyn trefnu'i holl orchwylion yn eu tro.

Gwanwynau fu, hydrefau ddaeth; wyna gofalus, gwerthu darbodus.

Dail y coed a'r gwrychoedd – fe wyliai'r blaen egin yn lledu, yn llenwi, yna'n araf bach yn gwywo, yn crino yn wrtaith 'nôl i'w gwraidd.

Un dydd, yn ddisymwth ac yn ddifwstwr, cerbyd mawr a ddaeth i'w mofyn.

Y cnuf a gydiodd am Ffridd Uchaf gan wrthod codi dim: dail a brigau'r coed yn ddi-chwa. Beudy Adwy-ddrain yn ddistaw. Beudy Cerrig-cyllau yn ddi-stŵr. Beudy'r Weirglodd mor sobor â'r Sul.

Bugail craff Eryri fu raid ildio'n llyfn o'i le.

Rhyd-y-mwyn

Does gen i'm clem pam dwi'n bloeddio ond pan dwi'n dihuno dwi'n bloeddio dros y lle, a hynny'n Sasneg am ryw reswm.

'I don't know. I don't know anything. I don't know. I don't know anything.'

Dwi'n methu deall be 'di'r peth 'ma dwi'm yn ei wbod. Mae'r hunlle yma'n tyfu fel rhyw hen fadarch melyn yn y nos a dwi'n palu'r cof i geisio canfod y gwraidd.

Ond falle mod i'n lwcus mod i ddim yn cofio. 'Mond gneud 'y ngwaith am ryw chydig o bres 'nes i, fi a gwragedd erill y fro. Adeg rhyfel. Wnes i ddim o'i le, naddo?

* *Yma, yn ogofeydd Hesb Alun, crëwyd storfa o nwyon mwstard a bacteria anthracs (WMD) i'w hau'n ddistaw dros drigolion yr Almaen.*

Rhyl

Nos Iau oedd hi, noson cyrri dau am bris un, yn Wetherspoons.

Parciodd yn flêr tu ôl i'r Odeon ger pont y rheilffordd a slamio drws ei Mini Cooper ar gau. Siglai ei thin wrth simsan gamu ar hoelion o sodlau tros faes parcio cyfarwydd iddi.

'Beth hoffech chi?' holodd y lipstig tu ôl i'r bar.

Llowciodd G&T dwbl, ffisig ffŵl, cyn mynd i osod ei hun mor goesog â phosib ar soffa'r lolfa.

Daeth corryn amyneddgar o gysgod tŷ bach y dynion yn orfoleddus o'i gweld. Fy mursen fach goch.

Gwenodd yn orlawn o swyn â'i lygaid blysig.

Gwenodd hithau â'i dannedd, gan dynhau ei dwrn am goesyn bregus ei gwydryn. Dau gorryn yn nyddu eu gwe, yn glymau o g'lwyddau a thriciau.

Ond nid fo fydd gryfa.

Y weddw ddu, sydd yma.

Sarnau

Y Capel – yma cewch yr Addysg Ore yn y Pethe Gore, medd y Parch.
Arhosodd ei braidd adre i wylio *Dechrau Canu, Dechrau Canmol.*
'Doesn't our converted home feel so tranquil! Our friends visit us all the time when they come to their statics at Cefn D.'

Siop y Pentre – hon oedd Athen Dysg prifeirdd ein gwlad, medden nhw.
Prynwyd ceir o Fodurdy Glanrafon a ffwrdd â phawb gan wenu, a chodi llaw wrth basio.
'We live in this quaint little hamlet, just off the A5. Our Zorbing business is doing quite well.'

Y Dafarn – dyma'r lle i raddio ym Mhrifysgol Bywyd oedd pryfôc y werin.
Ond stelcian yn eu llofftydd i fud drydar a syrffio'r we wna'u plant.
'The best thing about living here is that it is so relaxing, so peaceful. My little business is Adventure Area: plants, pets and Lots More. We love it here.'

Ysgol y Pentre – es o fama i ddringo grisiau gyrfa, bragiodd y dysgedig.
Symudodd i'r ddinas a 'dyw ei blant yn gweld fawr ddiben i'w hail iaith.
'We moved to this area to relocate Glassbloberry from Deeside. This location is perfect. We hope to stay here for ever.'

'Silence, is certainly golden, at Sarni.'

Sealand

Pan gyrhaeddes adre o'r ysgol y pnawn 'ma be weles i ar y mat ond cerdyn, wedi'i wthio yno trwy'r blwch llythyra i ddweud bod fy nghymdogas, i ddathlu ei phen-blwydd yn wyth deg pump, am gynnal parti. Mewn inc glas ac yn gwafra hieroglyffig i gyd roedd y geiria: 'Do come for a sherry to celebrate my very good old age, and if you could be so kind, please bring a small contribution towards a light buffet as I am no longer the hostess I used to be. I look forward to your company. Kind regards, Isabella Thompson.'

Synnwn i ddim nad oedd y gwahoddiad wedi bod yno ers achau achos dwi ddim yn un am glirio llanast pan ddo' i adra o'r ysgol, nac ar adega erill chwaith, taswn i'n dweud y gwir. Fy esgus ydi mod i wedi blino.

Mae hi'n wythnos arolwg arnon ni yn Ysgol Uwchradd Penarlâg. Yn yr Adran Hanes ydw i, ac er mai dim ond ar fy mlwyddyn brawf ydw i, gofynnodd fy mhennaeth adran i mi gynllunio gwersi i gynrychioli cwricwlwm amlddiwylliant yr ysgol i'n plant Blwyddyn Saith.

'Because you're young,' meddai wrtha fi, 'you can lead on multicultural integration. Just talk to the kids about your favourite curries, reggae music, Bollywood shows, you know, the best of multicultural practice. And, of course, how we must encourage our immigrant pupils to learn English so that they can integrate and enjoy the best of our culture.'

'What about the Welsh language and culture?' holais yn ddiniwed.

'Oh, just leave that stuff to the Welsh Department,' medda hi.

Stwffio ditha'r hen sopan, meddyliais wrth fynd adra, wedi pwdu a chan deimlo dan ormes.

Roedd y gwahoddiad i barti wedi codi 'nghalon. Roedd i'w gynnal am bump y pnawn hwnnw. Ha! Roedd hi'n hanner awr wedi hynny pan ddarllenais o.

Oherwydd mai dim ond ers mis Medi dwi wedi bod yn rhentu yma roeddwn am ddymuno 'Pen-blwydd Hapus' i nghymdogas, gan obeithio, yn sgil hynny, cyfarfod eraill o nghymdogion sy'n byw ar y stad yma o fyngalos mawr drud, bellter cyfforddus i hen bobl o Barc Siopa Brychdyn.

Felly, heb dynnu nghôt, 'molchi nwylo na newid o nillad sialc, bachais fwnsh o fananas Masnach Deg oddi ar gownter y gegin, yr unig becyn o unrhyw beth heb ei agor fedrwn ei ganfod yn unrhyw gwpwrdd; tynnais fy mysedd yn frysiog trwy ngwallt a'i heglu hi ar draws y ffordd.

Roedd ei drws ffrynt hi'n agorad led y pen, felly hwylies i mewn yn joli reit gan alw'n siriol: 'Hello, Mrs Thompson. Happy birthday and many happy returns of the day!' fel taswn i'n galw heibio nain C'narfon.

Dim atab.

Clywais sŵn suo fel gwenyn a gwelais fod haid wedi hel o gylch bwrdd y stafall fwyta. Piciais i'r gegin i adal – a rhaid i mi gyfadde, er mawr gywilydd i mi pan welais be oedd yno – fy nghyfraniad pitw at y parti, cyn ymuno â'r gwahoddedigion yn y stafell fwyta.

'Rargian Dafydd! Roedd yno fyrdda dan eu sang o gacenna hufennog-eisinog a sioe o ddanteithion sawrus-a-melys M&S Food. Wps!

Closiais at yr haid ac mi gymerodd dipyn go lew o amser i mi sortio, o'r holl benna blodfresych, pa un oedd Mrs Thompson, pa rai oedd ei ffrindia a pha rai o'r rheini oedd yn gymdogion i mi. Wel, mi gawson ni i gyd ein hannog i helpu'n hunain i'r sheri, ac roedd ganddi goblyn o ddewis egsotig yn ei chabinet gwin. Wedyn fe symudom, fel haid i gwch, i ista yn y lolfa. Eisteddodd Mrs

Thompson, y frenhines, yn ei chadar freichia fawr a ninna yn y cadeiria cefnsyth, yn gynulleidfa ufudd.

Am awr neu fwy bu'n hel atgofion am ei bywyd ac am Harry. Pwyntiodd at sawl ffotograff mewn fframia du a grogai ar walia'r lolfa, rhai o ddyn ifanc golygus mewn gwisg filwrol a rhai ohono mewn dillad jiwdo. Gallwn weld, o'i wisg, mai cyn-beilot o'r RAF oedd Harry cyn iddo adal y fuchedd hon tuag ugain mlynedd yn ôl. Ro'n i'n meddwl bod yr hanes yn reit ddifyr wir, gan mod i'n newydd i'r ardal.

'When I lived on the RAF compound,' medda Mrs Thompson, 'we, the camp wives, always met together at five o'clock in the evening for our aperitif, a G&T or a dry Madeira perhaps. We all had natives to cook and clean for us in those days, and plenty of them, as the weather was so hot and unsuitable for us to do any housework, or any other work for that matter. It was a wonderful life!'

Peilotiaid awyrennau bomio Spitfire o RAF Sealand oedd y gwŷr. Adeiladwyd RAF Sealand i warchod Lerpwl ym 1916 gan gwmni awyrennau De Havilland o Ganada. Roedd Sealand yn enwog am gynhyrchu awyrennau bomio trwm a hefyd y mosgitos, sef awyrennau o bren ysgafn a dwy injan, syfrdanol o sydyn. Yma y cynhyrchwyd y dechnoleg ryfel orau a'i gwerthu i bob rhan o'r byd. Hefyd bu RAF Sealand yn fyd-enwog fel canolfan jiwdo, a bu Harry'n cynrychioli'i sgwadron sawl tro. Dysgais yr hanes diddorol 'ma i gyd gan Mrs Thompson.

Eto, fedrwn i ddim dychmygu adrodd hanesion fel hyn yn ein gwersi Hanes ym Mhenarlâg. Tybed fyddai unrhyw un eisiau cofio mai o Gymru y daeth llawer o'r offer rhyfel sy'n achosi i bobl ddiberfeddu'i gilydd ar draws y byd?

'Our young men were supreme champions of everything! You should be proud of your Country, young lady!' medda Mrs

Thompson gan bwyntio bys hir, cnotiog ataf i. 'Now, to think that some Asian businessman wants to buy our Ex-servicemen's Club, our local club, here at Shotton, and turn it into a mosque! Make it into a centre for Islamist culture and peace! No wonder it got burnt down! You wouldn't like to live in an Islamic country, would you? All they do is fight and kill each other! Look at the so-called Arab Spring – more like Arab Anger, I'd say. I really can't understand why they are so angry. We don't want a mosque, of all things, in our country, do we? And we certainly can't let these immigrants take over!

'Ah, Harry and I saw it all. He had a good job and a great career. We were all over the place – Sudan, Egypt, Libya, Rhodesia as it was then, South Africa and lots of other similar, rather uncivilised places. We, the wives, lounged all day and stayed in the shade, mainly gossiping about each other or playing poker. But we had a wonderful life. Those were the days!'

'Yr unig amser anodd,' ychwanegodd, gan edrych o gwmpas ei chynulleidfa fel heboges, 'oedd gorfod symud o wersyll i wersyll ac o wlad i wlad. Ond yno i addysgu'r duon roedd ein gwŷr – eu hyfforddi sut i beilota awyrennau o Sealand a'u dysgu i filwrio. Roedden ni'r Brits yn cadw at ein hunain achos mae gan y brodorion ryw arferion rhyfedd a, hyd heddiw, fawr ddim Saesneg, wyddoch chi. Hefyd mae hi'n bwysig osgoi afiechydon gan nad ydyn nhw'n cadw unrhyw ddŵr ar gyfer 'molchi.' Pinsiodd ei thrwyn a thynnu wyneb.

'Beth bynnag, ferched, digon o hel atgofion. Do come and help yourselves to this beautiful buffet that you have so kindly brought along. I do thank you, so much.'

Cododd ar ei thraed hefo cymorth dwy ffon, oedodd wrth ddrws y gegin a chipio'r bwnsh o fananas Masnach Deg wrth basio. Rhwygodd y bag yn agored hefo'i hewinedd sgleiniog a sgrechiodd yn uchel. Rhuthrodd ei ffrindiau ati i weld be oedd wedi'i chynhyrfu. Tynnodd Mrs Thompson y bwnsh o fananas o'u cwdyn ac, och a gwae, yn nadreddu ar groen melyn un fanana roedd cyrlen hir o wallt du, cryf. Fy ngwallt i!

'Good heavens!' ebychodd. 'This is most unhygienic! How can any company sell us their bananas with the natives' hair still on them?' a rhythodd mewn anghredinedd.

Shotton

'Dyw cysgodfan yr orsaf drenau fawr gwell na phlanciau geirwon ger wal goncrid.

Synhwyrais o'r surni yn y gornel y bu rhywun yma neithiwr yn 'mochel nos. Roedd y mymryn gwres fu yn y sach gysgu'n ddiflanedig, ac â blaen esgid ochelgar, gwthiais o'r neilltu botel win ddiddiferyn.

Unwaith eto, mab rhywun, neu ferch, efallai, wedi ymlusgo yma a'i chorff yn bincws, cyn ein dyfod, deithwyr swrth y bore, i'w styrbio o'i hamdo.

Edrychom yn ddirmygus ar yr annibendod gan wfftio ac ysgwyd ein pennau. Arhosom yn anfoddog am drên i'n cludo i rywle arall, digon pell o beth fel hyn.

Hawdd llithro oddi ar y cledrau. Mi wn.

Ffodus fûm i wrth fagu mhlant.

Ond taflais gipolwg drachefn.

Rhag ofn.

Sili-wen

'Dwi'n dy garu di,' medde fo. 'Dwi'n dy garu di.'

Brawddeg fer bedwar gair. Dau fawr a dau fach.

Union faint teulu modern.

Fformiwla syml.

Tueddiad greddfol?

Dyn ifanc yn ymarfer ei eiriau wrth edrych i'w lygaid ei hun mewn drych.

Traeth Coch

Croesi'r traeth mawr, gwlyb yma roeddwn i tua'r hwyr, ar yr ochr anghywir o'r Ynys i allu teimlo unrhyw wefr o fachlud hardd y dydd.

Roedd suo'r tonnau wedi gwneud i mi fyfyrio ac ymgolli mewn môr o feddyliau, ond am ddim o bwys. Fel arfer.

Toc, gan deimlo mod i wedi oeri hyd fy mêr, ac ychydig ar goll efallai, dechreuais ofni gan fod y trai wedi troi arnaf yn rhuthr o genlli gwyllt.

Trois yn f'ôl i wynebu'r traeth ond roedd niwl môr, neu efallai mai smwclaw oedd o, wedi hel o nghwmpas. Doedd dim olion traed i'w gweld yn y tywod er mai dim ond ennyd ynghynt, fel y tybiwn, roeddwn wedi linc-di-loncian yma.

Croesi traeth yw bywyd, meddai'r bardd.

Nid croesi traeth mo hyn ond crwydro'n ddiamcan a chamu'n ddifeddwl i weflau tywodfanc, edrych drach 'y nghefn tua'r tir lle bûm, a gwybod na adewais unrhyw farc, na dim, ar f'ôl.

Suddo, i draeth mawr Môn yw marw, i mi.

Trawsfynydd

*Glenys yn rhuthro i'r stafell fyw hefo mùg o goffi poeth ym
mhob llaw. Mae ei mam yn eistedd yn anghyfforddus mewn
cadair freichiau.*

Glenys: Dyma dy goffi di, mam. Roeddat ti'n dweud dy fod ti ishio
sgwrs. Sorri, fedra i ddim aros yn hir. Rhaid i fi fynd i gasglu Hyw
a Dew o'r ysgol ac mae gen i ofn bod raid i mi gael sgwrs hefo'u
hathrawon dosbarth heno.

Gwyneth (*Yn derbyn y coffi*): Diolch, cariad. Oes, mae 'na rwbath
dwi wedi bod ishio'i ddeud wrthat ti ers tro.

Glenys: Mae gen i rwbath i'w ddweud wrthat ti hefyd. Neu wyt ti
wedi clywad eisoes?

Gwyneth: Clywad? Clywad be?

Glenys: Mam, dwn i'm sut i ddeud wrthat ti. Dwi wir ddim yn
gwybod sut i ddeud hyn wrthat ti. Mae o wedi bod yn pwyso ar 'y
meddwl i ers misoedd. Ie, misoedd a mwy. Ond dwi 'di gohirio
bob tro. (*Saib. Y ddwy'n edrych yn bryderus ar ei gilydd.*) Rwyt
ti a Dad wedi bod yn andros o garedig hefo ni, yn talu am y
briodas, ein helpu ni i gael morgais ... gwarchod ... Mae'r rhestr
yn un hirfaith. (*Saib*) Mewn ffordd mae gen i gywilydd. Cywilydd
ofnadwy. (*Mae Glenys yn eistedd, ei braich ar fraich y soffa, ei
phen ar un ochr yn gorffwys yng nghwpan ei llaw, yn syllu ar
y llawr.*)

Gwyneth: O, diar! Rydach chi'n berwi o ddyled! Dydach chi ddim ar fin colli'ch cartra, ydach chi?

Glenys: Wel, na, mae'n waeth na hynny.

Gwyneth: O, diar. Geraint ydi'r matar? Ydi o wedi colli'i waith yn yr Atomfa? O diar, mae swyddi'n brin ffor' hyn. Mi fydd hi'n galad arnoch chi, a dau fachgan bach i'w magu 'fyd.

Glenys: Na. Mae'n waeth na hynny, Mam.

Gwyneth: O, Glenys fach. Paid â deud wrtha i. Rwyt ti wedi bod yn anffyddlon iddo fo? O, Geraint druan!

Glenys: Na, Mam. Mae'n waeth. Geraint sy 'di mynd. Yr wythnos ddwetha. Roeddwn i'n meddwl bod rhwbath o'i le arno fo. Ond roeddwn i'n meddwl mai poeni roedd o, bod y gwaith yn yr Atomfa'n dod i ben flwyddyn nesa. Fel ti'n gwybod, Mam, rydan ni wedi bod yn sobor o lwcus o gael rhwbath i roi cyflog i ni yn y fro Gymraeg 'ma, am yr holl flynyddoedd.

Mae Ger wedi bod yn dawal ofnadwy ers misoedd, wedi bod oria ar y we. Chwilio am waith, medda fo. Unrhyw beth, medda fo. Mae swyddi i beirianwyr diwydiannol yn brin.

Beth bynnag, fore dydd Llun mi baciodd ei fag a deud ei fod o'n mynd am gyfweliad am ryw swydd yng nghyffinia Wolverhampton, rhyw le na chlywais i 'rioed amdano rhwng Bilston a Redditch. Redditch o bobman! Faswn i'm ishio mynd i fanno am bris yn y byd, ac mi ddwedes i hynny wrtho fo. Faswn i'm yn symud o'r fro yma i ryw Ffos-blydi-goch o le am grocbris! Faswn i'm ishio dy adal di, Mam, yn un peth.

Wel, ddaeth o ddim yn ôl. A does gen i'm syniad ble mae o.

Dwi ddim wedi'i weld o ers bore dydd Llun dwetha. Dydi o ddim wedi ffonio na dim. Dim negas. Dim byd.

Gwyneth: O, Glenys fach! (*Saib*) Tybed oes ganddo fo ddynas arall a thitha ddim yn gwbod? Mae'r we'n gallu bod yn dwyllodrus, meddan nhw.

Glenys: Ym ... falla, ond alla i ddim bod yn siŵr. Fedra i ddim meddwl am y posibilrwydd o chwalfa fel'ny ar hyn o bryd. Falla mai trio nychryn i mae o, fy nychryn ddigon i mi bacio fy mag a mynd i'w ganlyn, i ble bynnag mae gwaith i'w gael. (*Saib*)
Wel, rhaid i mi ruthro i'r ysgol rŵan i gasglu Hyw a Dew, a dwi'n hwyr. Mi fyddan nhw'n poeni lle rydw i. Dydi'r hogia ddim yn nhw'u hunen y dyddia 'ma. Bydd raid i mi ddweud wrth eu hathrawon dosbarth sut mae hi arnon ni adra. Ond dwi ddim yn gwbod be i'w ddeud. Sut bynnag, rhaid i mi ruthro i drio cael lle parcio. Ti'n gwybod sut mae hi tu allan i Ysgol Bro Hedd Wyn ar bnawnia gwlyb! (*Mae hi'n mynd tua'r drws ac yn ei agor.*) Gyda llaw, be oeddat ti am ei ddeud wrtha i? Roeddat ti ishio sôn am rywbath wrtha i, meddat ti.

Gwyneth: Oeddwn, Glenys, oeddwn. Roeddwn i ishio dweud wrthat ti mod i'n mynd i'r ysbyty ddydd Mawrth nesa, erbyn dau o'r gloch.

Glenys: Argol! Be sy, Mam? Rwyt ti'n edrach yn iawn. (*Mae Glenys yn cerdded o'r drws i graffu ar wyneb ei mam.*)

Gwyneth: Falla mod i'n edrach yn iawn ar y tu allan. Ond tu mewn mae'r tyfiant. (*Saib*) Cancr ydi o, mae gen i ofn.

Glenys: O na, Dduw annwyl! Ti hefyd!

Gwyneth: (*Saib*) Sorri, mach i.

Treffynnon

Cerdded â'i phen yn ei phlu roedd hi, yn gwylio rhag gwlychu'i thraed yng ngwlith y bore cynnar pan sylwodd fod yna, yr ochr draw i'r gwrych, ddwy gigfran ffraegar yn gwledda'n big-goch ar gorff cynnes cwningen ifanc.

Cenfigennodd atynt yn gallu gwledda ar gymaint o gig. Oedodd am eiliad i ystyried a allai rywfodd achub y gwningen rhag y brain, i fwydo'i phlant ei hun.

'Be fydde ore i Siani?' oedd pryder Sera wrth iddi dywys plentyn saith oed, ond a allai fod yn iau, i'w chanlyn i lawr grisiau serth y dyffryn diwydiannol.

'Rwyt ti'n hwyr!' arthiodd rheolwr y felin gotwm. 'Mae dy shifft di'n dechre am wyth, nid wyth munud wedi wyth! Os byddi di'n hwyr unwaith eto, hwnnw fydd y tro ola! Mi fydde raid i mi dy ddiswyddo di. Felly dyma dy rybudd ola di! Cer! Hel dy draed! A thria ddal i fyny hefo'r merched erill!'

'Ond, syr!' plediodd Sera ar fin dagrau. 'Roedd Siani fach yn sâl yn y nos a chlywes i mo'r trên saith yn hwtian.'

Roedd ganddo ddwy lygad groes a godai groen gŵydd ar feingefn Sera gan na allai benderfynu'n iawn ai arni hi ynteu ar ei merch yr edrychai. Swatiodd y fechan yn glòs at gwt ei mam.

'Dy fusnes di ydi hynny! Fy musnes i ydi rhedeg y felin yma mewn da bryd a chynhyrchu cotwm o safon. Os ydi un plentyn yn sâl, tyrd ag un arall. Mae gen ti ddigon ohonyn nhw, yn does?' ac edrychodd yn wrywaidd ddirmygus arni.

Plygodd Sera ei phen a suddodd ei hysbryd yn is. Roedd y dyn wedi creu cymysgedd o ofnau ynddi: yr ofn o fod yn fenyw ddiymgeledd dan ei bawen, yr ofn na fyddai'n rhoi cyflog iddi a chywilydd anorfod ei bod wedi rhoi sugn i chwech o blant mewn deng mlynedd. Yn benisel, cerddodd Sera mor frysiog ag y gallai, gan dynnu Siani, a geisiai guddio tu ôl i'w mam, i mewn i'r felin gotwm enfawr.

Rhyfeddod y fro oedd Melin Gotwm Treffynnon. Deuai llawer am dro i'w hedmygu gan ei bod tua'r un maint ag Eglwys Gadeiriol Llanelwy – hefo drysau Normanaidd a ffenestri cymesur, perpendicwlar. Enynnai'r felin barch enfawr ac edmygedd diwydianwyr blaengar gwledydd Ewrop. Nid anarferol fyddai i wŷr busnes ymweld â hi yng nghwmni'r perchennog. Byddai yntau'n troedio lloriau'r felin i ddangos ei rhinweddau gan ymffrostio'n glochdar fel ceiliog ar domen. Roedd y busnes yn ffynnu, a galw mawr am gotwm. Dyma ddeunydd newydd a'r byddigions i gyd am y gorau i gael gafael ar gymaint o gotwm ag y gallent gan fod y deunydd meddal hwn mor llyfn ar y croen. 'Rôl teimlo craster eu dillad gwlanog a choslyd ar eu cefnau drwy'r gaeaf roedd cael dillad haf o gotwm ysgafn a llyfn yn gwneud i'r merched ymsionci a phrancio fel ŵyn hyd y dolydd.

'Wonderful stuff, eh, Henry?' canmolodd y boldew.

'Wonderful indeed, Lord Mostyn! I can see a great future in this. Indeed, I will hazard a guess that this is the future. Well worth considering.'

'Invest in this mill and the rewards will be abundant for you, Henry. I myself am already planning to put a new wing onto Mostyn Hall, doubling the size of my grounds and building a half acre walled garden with extensive glasshouses. In fact, my wife and daughter just recently went on a visit to London, to stay with the Wilkinsons. You know, John 'Iron Mad' Wilkinson of Bersham fame. He's on board with us here, of course, as you know perhaps.

'Well, on their return my good ladies were chirping on about this new fruit-plant called pineapple. Pineapple! Have you ever heard of it? This is the latest fashion dessert in London now, you know, and I am under strict orders from her indoors to build glasshouses as soon as possible so that she can be the first hostess to put pineapple pudding on the menu. I don't mind telling you, in confidence of course, Henry, that I am tipped to be the next Sheriff of Flintshire! Yes indeed! And my wife has already ordered designs for ceremonial outfits for us all, in cotton of course. A shirt with cotton ruffles for me and a matching one for herself and the young Lady Mostyn. Now listen to me, Henry ...'

Bachodd y boldew yn llawes côt Henry i sibrwd cyfrinachau pellach yn ei glust. Canmolodd leoliad y felin, oedd ar lethr dyffryn glas lle mae miliynau o alwyni o ddŵr byrlymog yn disgyn o ffynnon ddibynadwy yn y graig uwchben. Doedd y ffynnon hon erioed wedi sychu unrhyw haf o fewn cof nac wedi rhewi a phallu llifo unrhyw aeaf. Canmolodd y ffaith bod y llafur lleol yn rhad: digonedd o ferched i'w denu i'r felin a'r rheini'n ferched didrafferth, yn fodlon derbyn unrhyw geiniog a gaent gan fod eu gwŷr naill ai ar y môr neu wedi gadael am y fyddin. Canmolodd ei reolwr.

'My manager, Cloyd (named after a river, by Jove!), can't see very well but he doesn't miss a trick of what goes on in my mill. They laughed at him when he applied for the army. But, mark my word, his eyes can keep those lazy women on their toes! "Treat 'em mean, keep 'em keen," eh, Henry?'

Dim ond y bore hwnnw roedd Clwyd wedi awgrymu y byddai torri ffardding o gyflog yr un fyddai'n hwyr i'w gwaith yn dysgu gwers iddi am brydlondeb. A'r wythnos flaenorol roedd wedi diswyddo tair am fod eu clymau wedi datod. Roedd dwsin o ferched eraill wedi dod i holi am eu lle ond ei ymateb o oedd gwneud iddynt aros wythnos er mwyn iddo ystyried eu cais gan honni bod prinder swyddi.

'You see, Henry,' meddai'r boldew, 'punctuality and quality go together like hand in glove! And you can be quite assured on this account as well – there is a plentiful flow of this cheap labour and clean water for much further expansion.'

Rhythai Henry a llif ei feddwl chwim yn gweld mintio sofrenni gloywon a chlamp o briodas dda i'w blant, yr oedd eto i'w cenhedlu.

Ar amrantiad darllenodd y boldew yr arwyddion. Ha! Bore ardderchog o waith! Adre i'r parlwr at y musus rŵan, am ryw frandi dathlu neu ddau i gynhesu'r gwaed.

Estynnodd ddogn crintachlyd o Cognac i'w wraig. Tynnodd hithau ei dwylo claerwyn o'i mwff croen afanc a aroglai fel ci gwlyb, gan gwyno mewn llais main nad oedd digon o danau yn y Plas.

'Fires, woman!' ymsythodd o'i blaen. 'You can't have your money and burn it! Drink your brandy and count yourself lucky. Chin up, old girl!'

Cododd waelodion ei siwt gynffon-deryn a sefyll a'i goesau ar led o flaen tân y parlwr i dwymo'i gluniau swmpus. Roedd rhoi sioe o grandrwydd yn llyncu pob ceiniog. A mwy na hynny.

Ochneidiodd. Roedd ar fin sôn am y sgwrs a gawsai a bod buddsoddwr arall ar y bachyn, ond ymataliodd. Roedd wedi brolio mwy na digon am un diwrnod. Ochneidiodd eto'n feddylgar, ei lygaid ar gau, yn mwynhau cynhesrwydd tân bach o lo mewn parlwr mawr oer. Roedd wedi ymgolli'n llwyr yn ei gynlluniau.

Welodd o mo'r ddwy oedd yn ceisio brysio mewn clocsiau treuliedig i fyny pum rhes o risiau i gyrraedd y chweched llawr ar frig yr adeilad. Chlywodd o mo ddwndwr y peiriannau gwehyddu'n byddaru eu clustiau, ac ogleuodd o mo'r tawch o lwch a barodd i Sera a Siani disian yn afreolus a rhwbio'u llygaid briwus. Ymhen ychydig byddent yn cynefino â hynny a byddai oglau'r deunyddiau cotwm ffresh yn fwyn a melys yn eu ffroenau.

Wrth iddi groesi'r llawr i'r gornel bellaf i gyrraedd ei gwŷdd trodd llif o bennau i edrych arni. Ond dim ond cipolwg sydyn, nerfus. Ar bob ffrâm wehyddu enfawr roedd dau gant a deugain o linynnau o wahanol liwiau fyddai'n peri i'r gwragedd ganolbwyntio fel cyfieithwyr ar ddilyn y patrwm yn gywir, gysáct. Hedai eu bysedd yn ystwyth i gonsurio brawddegau o batrymau cain a lifai'n rhwydd a rhugl rhwng dannedd y rholeri pren.

Pwyntiodd Sera ei bys at Siani ac yna at ddarn toredig o gotwm oedd yn crogi o dan ffrâm ei gwŷdd. Fe wyddai Siani beth i'w wneud gan y bu'n gweithio yn y felin ers dydd ei phen-blwydd. Plygodd ei phen gan gropian o dan y fframwaith pren i glymu'r llinynnau cotwm toredig yn gelfydd wrth ei gilydd, yna cropian allan eto i orwedd ar ei chefn o dan fainc weithio'i mam. Rhwbiodd y dagrau o'i gruddiau hefo llawes fudr hen siwmper wlân un o'i brodyr. Roedd hi wir yn teimlo'n wan.

Hedai bysedd chwim Sera'n ddi-dor, ei gwennol yn hedfan yn ôl a blaen mor rheolaidd â'i hanadlu. Cymerai gip sydyn i gyfeiriad Siani. Ond beth allai hi ei wneud? Doedd neb gartre i edrych ar ei hôl. Golygai hynny nad oedd neb gartre i gynnau tân i'w chadw'n gynnes. O leiaf roedd hi'n gynnes yn y felin, y lle gorau i fod ar fore oer a gwlyb o Dachwedd. Ymhen naw awr, myfyriodd Sera, mi fydda i wedi gorffen y shifft yma, mi gasglaf fy nghyflog ac yna af i fyny'r dyffryn at ffynnon Santes Gwenffrewi. Wedyn mi brynaf fara can a jwgied o lefrith hufennog iddi.

Gyda'r bwriad hwn yn gadarn yn ei meddwl, canolbwyntiodd Sera ei holl egni ar ei thasg rhag torri llinyn a gorfodi Siani i gropian eto o dan y gwŷdd i'w clymu â'i bysedd bach tenau.

Hanner awr wedi pump o'r diwedd. Casglodd Sera ei cheiniog

gan y rheolwr blin, gafaelodd yn llaw Siani a hanner tynnu'r plentyn bregus i fyny'r bryn. Wrth y ffynnon llenwodd un o'r cawgiau tun a adewid yno i alluogi pererinion i gasglu tipyn o ddŵr clir, crisialog-bur y ffynnon. Ar ei gliniau, lleisiodd weddi fach o ddiolch i'r Santes. Yna cododd i ymadael. Ond roedd yr offeiriad llygadog wedi sylwi arni ac yn hwylio'n llyfn tuag ati yn gwmwl o ddu a gwyn urddasol.

'God bless you, child of God,' meddai'n addfwyn wrth Sera. 'And God bless you too,' meddai ar ôl sylwi bod plentyn ifanc hefo pantiau duon dan ei llygaid yn cuddio tu ôl i gôt garpiog ei mam. Torrodd siâp croes ar dalcen y ddwy. Cyffrôdd Sera o deimlo cyffyrddiad bysedd cynnes, llyfn y dyn ifanc ar ei thalcen. Siaradodd â llais a swniai mor amheuthun garedig i'w chlustiau. Gwenodd yr offeiriad gan ddangos dwy res o ddannedd perffaith pan sylwodd ar yr effaith a gafodd arni. Gwenodd a mwynhau grym ei gasog duwiol.

'Thank you, Holy Father,' atebodd Sera, yn benisel a swil. Ni feiddiai wenu gan fod ganddi gywilydd o'r tyllau pydredd yn ei dannedd. Wyddai hi fawr mwy na hyn o Saesneg ac roedd yntau'n ddi-feind o iaith y werin dlawd.

'Ora pro nobis!' meddyliodd yn ddirmygus, ond 'God rewards the grateful pilgrim' oedd yr hyn a ddywedodd, gan edrych i fyw ei llygaid.

Deallodd Sera yr awgrym a rhoi'r geiniog a gynhesodd â gwres ei bysedd esgyrnog yn anfoddog yn y blwch casglu. Yn hiraethus, gwrandawodd ar sain ei cheiniog yn tincian ymhlith blychaid o rai eraill.

'Thank you and may God bless you both,' ymatebodd yr offeiriad cyn cilio i'r cloestr cefn i olchi'i ddwylo mewn dŵr cynnes.

'Duw a rydd fendith i'r pererin diolchgar,' ddywedodd yr

offeiriad. Pendroni dros y geiriau hyn roedd Sera wrth gerdded tuag adre, yn hyderus bellach o gael iachâd gan iddi roi popeth oedd ganddi'r prynhawn hwnnw, i Dduw.

'Fe wnaf gawl barlys i Siani hefo peth o'r dŵr sanctaidd ac wedyn fe ddefnyddiaf y gweddill i'w 'molchi,' cynlluniodd y gorau i'w hunig ferch. Roedd y dŵr yma'n llawer gwell na'r dŵr bondo a gasglai mewn hogshed gwrw.

Troediodd tuag adre. Trodd ei chefn ar y graig lle hidlai'r dŵr yn groyw rhwng yr esgeiriau creigiog, llifo'n ddistaw i oedi yng nghroth pwll sanctaidd Ffynnon Gwenffrewi, cyn rhuthro oddi yno'n rhaeadr trochionog i bweru'r olwynion trachwantus islaw.

Erbyn iddi gyrraedd adre roedd Sera yn llawn gobaith y byddai'r fendith a'r dŵr sanctaidd yn siŵr o iacháu ei merch fechan.

'Mam, dwi ishio bwyd,' sibrydodd Siani, gan wasgu llaw ei mam yn erfyniol.

'Cyn gynted ag y cyrhaeddwn ni adre mi wna i gawl i ti, mechan i.'

Roedd hi wedi tywyllu erbyn i'r ddwy groesi trothwy'r aelwyd. Roedd dau ddarn o fawn a dau glap o lo yn y grât fach. Roedd aroglau'r cartref yn hyfryd – oglau mwg mawn a bwyd poeth – a rhuthrodd Siani at y tân fel pe bai am ei gofleidio.

'Paid, Siani!' ceryddodd Logan, ei brawd. Roedd o'n ddeg ac yn ddigon o ddyn i gael gwaith achlysurol ar fferm gyfagos.

'Fwytest ti chydig o gawl?' holodd ei fam gan nesáu at y crochan oedd ar y bwrdd. Nid atebodd Logan.

Edrychodd Sera ar y crochan gwag, ac yna ar Logan. Ond ddwedodd hi 'run gair. Roedd ei mab ar ei brifiant ac yn gweithio fel dyn o fore gwyn tan nos pan gâi gyfle. Wrth gwrs ei fod o bron â llwgu. Câi fowlennaid o siot y dydd yn yr haf a griwel peillied yn y gaeaf. Unwaith, ar fore Sul, a'r feistres wedi gorfod dychwelyd i'w gwely, cafodd dafell drwchus o fara can yn diferu o doddion gwaelod y tun rhostio. Roedd o wrth ei fodd yn disgrifio'r enllyn gan y gwyddai y byddai Siani'n crio mewn cenfigen.

Aeth Sera allan i ben pella'r ardd lle roedd wedi cuddio hanner dwsin o datws o dan y pentwr lludw. Estynnodd y tatws, dyrnaid dda o farlys a dwy feipen felen i'w berwi. Roedd wedi dwyn y maip o gae cyfagos a doedd affliw o ots ganddi bod ôl dannedd defaid arnynt.

Roedd Siani'n crio'n ddistaw wrth y tân a Logan yn edrych yn euog, ddiflas. Byddai raid i'r cawl yma wneud y tro am heno. Roedd dau fab arall i'w bwydo hefyd ond wyddai Sera ddim ble roedden nhw'r funud honno; allan yn dal cwningod, efallai. Roedd ei dau fab hynaf wedi mynd yn forwyr. Ni wyddai pryd y gwelai'r rheini chwaith ond teimlai'n hyderus y caent eu bwydo gan gapten eu llong.

Tra oedd y cawl yn berwi golchodd wyneb, gwddf, cefn a brest Siani hefo rhacsyn wedi'i wlychu yn y dŵr sanctaidd a gweddïo'n ddistaw. Crynai Siani a cheisiai sychu'i hun yn ei syrcyn gwlanen.

Roedd ei gŵr, Gruffudd, wedi mynd i'r ffair Glangaeaf yn Abergele.

'I be'r ei di i ffair gyflogi a thithe'n gweithio yn y Parlwr Du?' achwynai Sera yn gyson ond chlywai o mo'i chŵyn. Byddai criw o lowyr yn mynd i'r Hesketh Arms oedd yn ddrwg-enwog am ganiatáu i ferched ddawnsio ar y byrddau. Byddai'r glowyr cryfion yn hel yn eu boliau'n gynta ac yna'n hel merched, gymaint ag y gallent, wedyn. Pwy goblyn oedd y merched yma, doedd neb yn gwybod ond lladron gyda'r gorau oedden nhw, achos fyddai'r un ddimai goch ym mhoced unrhyw ddiniweityn fyddai wedi ymhél â nhw.

Ochneidiodd Sera a cheisio cysuro'i hun nad oedd ei gŵr yn un mor wael â hynny: roedd o'n godwr prydlon ac yn weithiwr cyson. Ond gwyddai sut y byddai arni pan ddychwelai. Byddai fel trobwll chwil o chwantus wedi'i gynhyrfu'n rhacs 'rôl sbio ar sanau neilon hir, sgertiau cwta, cwta a blowsys tyn, tyn dros fronnau mawr, mawr.

Yn yr haf, wrth ei glywed yn agosáu, gallai sleifio allan a mynd i gysgu yng nghysgod clawdd yn rhywle. Ond roedd hi'n Dachwedd llaith heno a doedd dim siawns cael lloches gan neb. Ystyriodd ei sefyllfa. Ar ei waethaf ni fyddai ei hyrddio meddw'n para fawr hwy na munud neu ddau.

Wrth feddwl am hynny estynnodd ei llaw i gyffwrdd â delwedd o'r Forwyn Fair a gafodd yn anrheg priodas gan chwaer a wyddai beth oedd i'w ddisgwyl. Byddai'n aml yn tynnu ei bawd dros y gwydr llyfn, glân i'w thawelu ei hunan. Gallai wedyn glirio'r marciau budron o'r gwydr a theimlo adferiad a glanhad.

Pan fyddai o'n ei gwthio ar ei phedwar wedi hanner ei dinoethi, ar wyneb y Forwyn Ddiwair y syllai. Yn nes ymlaen, yng nghyflawnder ei hamser, ar ei phedwar, yng ngŵydd y Fam Forwyn y sgrechiai ac y gwthiai ei epil i'r byd. Claddwyd rhai yn dawel. Doedd dim arian ganddi i nodi'r beddrod.

Yn sydyn clywodd sŵn pistyll ysgafn ac edrychodd tua'r nenfwd; doedd bosib bod y bargod yn gollwng yn barod. Roedd yn rhyw fath o ollyngdod pan ddarfu'r sŵn ac y daeth corff afrosgo'i gŵr i'r tŷ.

'Pwy ydi'f wfaig ofe'n y byd?'

'Ewch i fyny, blant!' archodd ar unwaith gan bwyntio at yr unig lofft oedd ganddynt.

Yn y bore teimlodd leithdra mislif rhwng ei choesau. Ochneidiodd gan y gwyddai sut y byddai – ei gwaed yn llifo'n dyner i ddechrau i ffynnon ei chroth ond yna byddai'r boen yn feis o ddur erbyn canol dydd. Ond diolchodd i Dduw na fyddai ceg arall i'w bwydo.

Yna, cyrchodd unwaith eto tua'r felin gotwm gyda Siani fach yn cydio'n dynn yn ei llaw a phantiau duon ar ruddiau'r ddwy yng ngolau gwelw'r bore. Ni allai Sera gerdded mor gyflym ag arfer oherwydd ei chadachau.

'Tybed ydyn ni'n hwyr eto fyth?' pryderai.

Yn ei sgidiau a'i sanau tyllog a gwlyb, yn araf ond yn urddasol, yn ei blaen y cerddodd. Bore arall o'i blaen.

Wrecsam

Uffen, mae'r hen ddynes anorac hefo pocedi mawr yma eto.

Mae hi'n gynnes neis yma, medde hi. Ydi, dwi'n gwybod, yr hurten.

Dwi'n c'nesu fy nwylo yma, pan mae gen i funud sbâr. Cha' i ddim fy hel o'ma pan dwi'n iste hefo hi.

OK, mae hi'n swnian fel pry mewn pot jam ond os dwi'n cogio gwrando mae hi'n rhoi Jaffa Cêcs i fi, weithie.

Dwi'n llygadu carton Costa wrth y drws hefo ogle llaeth cynnes a stêm neis yn dod trwy'r caead. Rhywun wedi'i adael o, gobeithio.

Ers tipyn rŵan mae hi'n dal y 07.57 i Clatterbridge: trên Arriva DMU, class 153, Super Sprinter, rhif 153303 i Gaer; trên Merseyrail EMU, class 507, rhif 507021 i Lerpwl am 08.26; disgyn yn Port Sunlight a cherdded neu ddal bws i Clatterbridge. Mae gen i rif pob trên sy'n rhedeg o 'Recsam i Lerpwl ac o 'Recsam i Shrewsbury, a hefyd y trenau o fanno i Gaerdydd a Birmingham. Dwi'n bodio tudalenne cyrliog fy hoff lyfr table trên sy'n llawn dop o rife beiro, hollol gysáct.

Mae hi'n suo eto, rhywbeth am 'dying' a 'sgotsman'.

Be? Ydi hi hefyd bron marw ishio gweld y Flying Scotsman? LNER class A3, Pacific, rhif 4472?

Dwi'n troi fy mhen mewn syndod braf. Hwrê! Mae hon yn dallt fy myd bach i. Mae'n lyfio trêns!

Am y tro cynta yn 'y mywyd, dwi'n sbio i fyw llygad rhywun, yn gegrwth.

Wybrnant

Gair bach o ddiolch i fy nghymar.

Yr Arglwydd yw fy mugail / Diolch i ti am fod hefo fi yn gafel yn fy llaw i hwylio dros y gorwel.

Ni bydd eisiau arnaf / Dwi'n dawel fy meddwl a dwi'n teimlo'n reit fodlon fy myd.

Efe a ddychwel fy enaid / Mi ges i lot o hwyl yn dy gwmni ac mi godest fy nghalon sawl tro.

Iraist fy mhen ag olew / Diolch i ti am wneud y pethe bychin, rhoi shampŵ i ngwallt a thorri winedd fy nhraed.

Pe rhodiwn yng nglyn cysgod angau / Wel, mae'r diwedd yn dod, fel i bawb yn eu tro.

Dy wialen a'th ffon a'm cysurant / Dwi'n cofio'r pethe da a'r pethe gwael a ddigwyddodd i mi, heb ofidio am y naill na'r llall bellach.

A phreswyliaf yn nhŷ yr Arglwydd / A rŵan dwi am adel yr hen fyd brwnt yma. Tro'r genhedleth nesa ydi hi, i frwydro 'mlaen.

Yn dragywydd / Ffarwél, 'rhen gariad,
Fel 'ma mae pethe i fod.

Y Moelydd

Do'n i ddim wedi pasa mynd i siop Cefyn Burgess yn Oriel Grefft Rhuthun ond, o ddigwydd pasio, sodrodd fy llygaid arni. Carthen wlân.

Un wen a gwerdd, lliw cen ar gerrig neu ar ganghennau pan fo'r aer yn groyw.

Yn y patrwm mae cylchoedd hynafol fy mro – Foel Llanfair, Moel Gyw, Moel Eithinen, Moel Fenlli, Moel Fama. Moel Dywyll, Moel Llys-y-coed, Moel Arthur, Moel Penycloddiau – yn swatio'n hardd yn eu cynefin.

Mae'r pwythi powld yn bolion palis y bryngaerau fu'n asgwrn cefn i'n Perfeddwlad, lle mae mast balch Moel y Parc yn cynnal S4C a Radio Cymru i warchod ein bodolaeth ymhellach.

Taenodd fy ngwehelyth grwyn a gwlân i'w diddosi; taenaf innau fy ngharthen gylchoedd.

Teimlad cynnes. Daliaf yn dynn.

Yr Wyddgrug

'Wyddwn i ddim fod Eifiona'n barddoni, a hynny'n Saesneg!'

'Oedd. Roedd hi'n mynd at y Pinboard Writers bob bore Llun yng Nghanolfan Daniel Owen, ac roedden nhw'n canmol ei cherddi.'

'Ro'n i'n gwybod ei bod hi'n hoffi cerdded. Sgidie cryfion fydde am ei thraed, haf neu aea', pan gerddai i'r dre. Ond wyddwn i ddim iddi fod yn arweinydd teithie am dros ugen mlynedd.'

'Mi gawson ni deyrnged ardderchog gan y Rainbow Ramblers, yn canmol ei gwybodaeth o lwybre a threftadaeth ddiwydiannol Sir y Fflint.'

'Wyddwn i ddim bod treftadaeth ddiwydiannol yn bwnc o ddiddordeb iddi.'

'Oedd. A'r Clwb Camera.'

'Bobl bach, mae cael teyrnged yn allwedd i fywyd!'

'Ydi'n-duw.'

'Lle da 'di angladd i ddod i nabod Cymry'r dre, yntê?